KB035047

달보다 먼 곳

달보다 먼 곳

초판 1쇄 발행 2021년 3월 3일

지은이 김수열
펴낸이 황규관

펴낸곳 (주)삶창
출판등록 2010년 11월 30일 제2010-000168호
주소 04149 서울시 마포구 대흥로 84-6, 302호
전화 02-848-3097
팩스 02-848-3094
전자우편 samchang06@samchang.or.kr

종이 대현지류
인쇄제책 스크린그래픽

ISBN 978-89-6655-131-6

* 책값은 뒤표지에 표시되어 있습니다.

달보다 먼 곳

김수열 산문집

삶창

●

작가의 말

아직도 산문을 쓰는 일은 적지 않은 부담으로 다가온다.

하물며 산문집으로 묶어 세상에 내놓는 일은 나에겐 여간 곤혹스러운 일이 아니다.

내가 끼적거린 대부분의 산문이 내 안에서 오롯이 움트고 자라나 한 편의 글이 되었다기보다는 이런저런 사연으로 청탁을 받고 마감 시간에 쫓기듯 쓰게 된 글이기 때문에 더욱 그렇다.

내가 받은 글 청탁의 대부분은 내 유년의 기억이 아스라이 스며 있는 원도심 무근성에 대한 이야기이거나 제주 4·3항쟁과 관련하여 보고 듣고 느낀 이야기거나 시를 쓰면서 미처 시라는 그릇에 담아내지 못한 이야기들이 전부라 해도 과언이 아니다.

청탁은 언제나 가까운 곳에서 온다.

거절하기 난처한 지인을 통해 오거나 한때 내가 몸담았던 고만고만한 단체나 모임에서 온다. 거절하기가 여간 난감한 게 아니었지만, 돌아보면 게으름이 문제였지 글을 쓰는 데 별 어려움은 없었던 것 같다.

청탁을 한 측에서도 내 글을 통해서 어떤 심오한 문학적 사유나 성찰을 얻어내려는 게 아니라 그들이 해결해야 하는 하얀 지면에 검은 글씨로 채워지는 것으로 우선 만족했을 것이고, 나로서도 그들에 대한 막연한 부채 의식에서 조금은 벗어날 수 있었다.

적지 않은 시간이 흐르다보니 컴퓨터에 저장된 글이 어느 정도 분량을 차지하게 되어 그냥 버릴까 하는 생각도 없진 않았지만 버리기에는 아깝다는 욕심이 난 것도 사실이다. 이 책이 그 결과물이다.

책을 내면서 부끄러움이 앞선다.

이렇게 책으로 묶을 요량이었다면 애당초 고민은 더욱 깊었어야 했고 생각은 보다 넓었어야 했다. 원고를 정리하면서 뚜렷해진 생각이다.

그럼에도 불구하고 용기를 낼 수 있었던 것은 그때 그 글을 쓸 수밖에 없을 때의 제주가 이 글을 쓰고 있는 지금의 제주와 하나도 달라지지 않았다는 것이고 오히려 더 망가진 채 황량해지고 있다는 생각을 지울 수 없었기 때문이다.

강정 해군기지가 그렇고, 성산 제2공항이 그렇고, 대정 송악산 개발이 그렇고, 선흘 동물테마파크가 그렇고….

무지막지하게 변모해가는 시대에 맞서 제주의 제주다움을 지키기 위해 오늘도 생업을 뒤로한 채 동분서주 발품을 팔고 있는 많은 분들의 노고에 미안함과 감사한 마음을 전한다.

그리고 엉성한 글을 꼼꼼하게 읽으면서 바른 지적을 해준 삶창의 황규관 시인에게 다시 한 번 빚을 진 기분이다.

바람이 있다면 구순을 훌쩍 넘겨 병약해진 노모가 이 책을 받아 들고 활짝 웃음꽃을 피웠으면 좋겠다.

2021년 이른 봄

김수열

차례

3부

4부

1부

●

내 문학은
거기서
시작되었다

문단의 말석에 발을 들인 뒤 문학의 길을 걸어온 지도 어느덧 서른하고 여덟 해가 지나고 있다. 돌아보면 어떻게 여기까지 왔는지 아득하기만 하다. 어린 시절 꼬박꼬박 일기를 쓰면서 글솜씨를 닦은 것도 아니고 특별한 교육을 받은 것도 아닌데 아직까지도 문학을 놓지 못하고 있으니 그 인연이 참 질기기도 하다.

돌아보면 전혀 인연이 없었던 것도 아니다. 그 인연을 찾아내 아득한 유년으로 길을 나서본다.

무근성 간장 공장 골목에 살아서 당연히 집 근처 초등학교에 입학했다. 학교를 다닌다는 건 그저 놀이터가 동네 골목에서 학교 운동장으로 바뀌었다는 것과 골목을 벗어나지 못하던 친구 관계가 보다 넓어졌다는 것 정도가 차이라면 차이겠다.

그 무렵 나는 그림 그리기를 좋아했다. 따지고 보면 낙서 수준에 불과했지만 어머니가 사다 준 공책 여백이 별의별 낙서투성이인 것으로 봐서 그렇다는 얘기다. 아무도 몰래 무슨 고상한 글을 끼적이던 기억이 전혀 없다는 것도, 유년 시절에 나는 글쓰기보다 그림 그리기를 더 좋아했다고 어렵지 않게 단정 지을 수 있는 근거다.

학교 대표로 불려가 그림을 그렸던 기억도 새롭다. 선생님 손에 이끌려 남문통 지나 지금 전농로에 위치했던 제주농고로 갔다. 교복을 입은 형과 누나들도 와 있었고 우리 또래의 초등학교 아이들도 운동장 주변을 가득 메웠다. 운동장 가운데에는 큼지막한 불자동차가 한 대 서 있고, 소방복을 멋드러지게 갖춰 입은 소방대원들이 일사불란하게 움직였다. 훈련의 하이라이트는 거대한 호스를 타고 물이 뿜어져 나와 그것으로 불을 끄는 장면을 시연하는 것이었다. 어마어마한 높이였고 무시무시한 거리였다. 여기저기서 탄성이 터져 나왔다. 그리고는 불자동차 사생 대회로 이어졌다. 무엇을 그렸는지는 정확하지 않으나, 아마 도화지 가운데 불자동차를 큼지막하게 그리고 여러 사람의 소방대원이 커다란 호수를 들고 불을 끄는 모습을 그리지 않았나 싶다. 도화지 위아래로 '자나 깨나 불조심! 꺼진 불도 다시 보자!'를 써놓는 것도 잊지 않았다. 결국 입선을 했고, 그때 나는 그림에 재주가 있다고 선뜻 결론을 내렸다.

그 후에도 종종 대표 선수로 불려갔던 기억이 있다. 귀순 용사 강연을 들은 다음 늑대를 의인화해서 북한군을 그렸고, 거기에도 마찬가지로 '잊지 말자 6·25 무찌르자 공산당!'을 큼지막하게 썼다.

5학년 때였다. 담임선생님은 무슨 대회(그게 지금의 '탐라문화제'였다는 것을 나중에야 알았다)를 소개하면서 참가하고 싶은 사람은 신청서를 제출하라 하셨다. 나는 어김없이 '미술 부문'에 신청을 했는데 며칠 지나 담임선생님이 나를 부르셨다. 그림을 그리겠다는 아이들이 많아서 나더러 운문 부문으로 나가라는 것이었다. '시'라는 것은 국어책에서 본 동시 몇 편이 고작인데, 이만저만 낭패가 아니었다. 그 무렵 학급 반장을 맡고 있어서 선생님께 그림을 그리겠다고 투정을 부리기에도 난감한 처지였다.

집으로 돌아와 마당에 있는 닭장에 들어가 모이를 주면서도 툴툴거릴 수밖에 없었다. 어머니는 무슨 일이 있냐며 물었지만 나는 닭 모이통을 발로 툭툭 찰 뿐 아무 말도 할 수 없었다.

대회가 열리던 날, 날씨도 내 기분처럼 푹 가라앉아 있었다. 남문통을 지나 지금은 칼호텔이 들어선 제주여고로 갔다. 정해진 자리에 앉았는데, 내 자리가 창가였다. 가방에서 필통과 책받침을 꺼내 기다리고 있는데 감독관 선생님이 들어오셔서 칠판에 시제를 큼지막하게 쓰셨다. '창(窓)'이라고.

학생들은 나누어준 종이에 기다리기라도 했다는 듯이 거침없이 써 내려갔다. 교실 안은 적막했고 오직 책받침에 연필 부딪는 소리만 들려올 뿐이었다. 말 달리는 소리 같았다. 그냥 나가버리고 싶은 마음이 굴뚝같았다. 그러자니 선생님 얼굴이 떠올랐다. 이러지도 저러지도 못하면서 죄 없는 창밖만 바라보고 있었는데, 이게 웬일인가. 창이 조화를 부리고 있는 게 아닌가. 창을 통해 바깥을 보고 싶으면 바깥 풍경이 보이고 비스듬히 창을 보면 나를 포함한 교실 안 풍경이 보였다. 어떤 때는 교실 안과 밖의 풍경을 동시에 보여주기도 했다. 순간 어떤 영감이 휙 나를 스치고 지나갔다.

'무슨 생각 잠겨 있나/ 비스듬히 바라보면….' 나는 연필에 침을 한번 바르고 거침없이 써 내려갔다. 가지고 간 지우개는 쓸모가 없어져 옆에서 가만히 지켜봐야만 했다. 교실 안에는 몇 명 남아 있지 않았지만 나는 감독관 선생님에게 작품을 제출하고 당당하게 교실을 나올 수 있었다. 그러고는 그 일을 까맣게 잊고 다시 일상으로 돌아왔다.

며칠이 지나 선생님께서 나를 교무실로 호출했다. 내가 쓴 시가 초등부에서 장원을 했다는 것이다. 정말 믿기지 않았다.

확인해보니 내가 쓴 글이 확실했다. 일어나서는 안 되는 일이 일어나고 만 것이다. 워낙 그림을 좋아하시는 담임선생님은 주최 측으로부터 내가 쓴 시를 입수해서, 직접 그림을 그리시고는 시화 액자를 만들어 내게 선물로 주셨다. 반세기 전의 일이라 지금은 그 액자가 언제 어디로 바람처럼 사라졌는지 종잡을 수가 없지만 내가 중학교 다닐 때까지만 해도 내 책상 위에 놓여 있었던 게 분명하다.

중학교 2학년 때였다. 교내 백일장이 열렸고, 시제는 '자유'였다. 쓰고 싶은 데로 쓰라는 거였다. 나는 속으로 쾌재를 불렀다. '오! 주여, 감사합니다.'

나는 내 책상 위에 놓여 있으면서 자연스럽게 머릿속에 들어앉은, 초등학생 무렵의 그 시를 거침없이 써 내려갔다. 5분이 채 안 걸렸고 모든 시선이 내게 집중되어 있음을 느낄 수 있었다.

앞에서 감독하시던 담임선생님이 한번 훑어보시더니 수상쩍은 눈빛으로 "이거, 베껴 쓴 거지?" 물었고, 나는 확고부동한 눈빛으로 "아닙니다, 제 작품입니다"고 답하고는 구름에 달 가듯이 교실 밖으로 나왔다. 며칠이 지난 월요일 전체 조회 시간, 나는 구령대 앞에서 교내 백일장 상장을 받고 있었다. 받고 돌아서면서 나는 속으로 웃었다. '시, 참 시시한 거라고.'

무근성을 떠난 지 오랜 시간이 흘렀다. 일상에 치여 자주 가

보진 못하지만 글이 되지 않을 땐 가끔 버스를 타고 원도심 무근성으로 간다. 내 문학의 처음이 거기일 것 같아 그곳으로 간다.

●

내가 두고 온 그때

나고 자란 원도심을 떠난 지가 어느덧 30년이 훌쩍 지났다. 그러고 보니 원도심에서 머물렀던 시간보다 원도심을 떠나 옮겨 다닌 시간이 더 길어진 셈이다.

유년을 원도심에서 보냈다는 이유로 가끔 원도심에 관한 글을 써달라는 청탁을 받곤 한다. 참 난처한 일이다. 정중히 거절하자니 내 유년과 결별하는 것 같아 당차게 물리치지 못하고 수락을 하고 마는데 막상 쓰려니 아련하다. 강산이 세 번이나 변하다 보니 당연한 일이겠다.

청탁을 핑계로 원도심을 찾는다. 그렇게라도 원도심과의 인연을 유지하고 싶은데 막상 가보면 또 그게 아니다. 많이 변했다. 변해도 너무 많이 변해 그때 그 골목이 이 골목인가, 그때 우물이 있었던 곳이 어디 여기쯤이 아닐까 하고 헷갈릴 때가 한두 번이 아니다. 그나마 반가운 것은 내가 뛰놀던 골목은 예전 모습 그대로 남아 있다는 점이다. 물론 골목 양옆의 집들은 형태가 많이 변했지만 아직도 무근성 장 공장 골목은 여전하다. 정겹고 반갑다. 그때 그 골목에서 뛰어놀던 동무들은 온데간데없지만 그 골목은 변함이 없어 더욱 아련하다.

달라진 게 있다면 내가 달라졌다. 그때는 그렇게 높게만 보이던 골목의 담벼락이 너무 낮아졌다는 점이다. 그렇게 넓게만 보이던 골목의 폭은 왜 이리 비좁은지…. 내가 물질적 욕망에 사로잡혀 키를 키우고 몸무게를 늘리느라 정신이 없을 때 그 골목은 시간의 흐름을 거스르기라도 하듯 옛 모습 그대로다. 그렇게 흥성대던 골목이 지금은 너무 조용하다. 나부터 무근성을 떠나왔는데 누가 남아 있기를 바라는 것은 물론 지나친 욕심이다. 떠난 자들은 떠난 만큼의 사연을 간직하고 있을 테니까.

유년 시절 동무들과 어울려 정신없이 뛰놀던 그 골목을 거닐면서 그들의 이름을 하나하나 되새겨본다. 원형이 형, 종표 형, 종보, 윤 할망, 충희 형, 충하 형, 민수 형, 현수 형, 준수, 성수, 몰래물 할망, 진희, 성훈이, 순생이, 원우 형, 원진이 형, 상종이…. 어디 그뿐이랴. 종표 형네집 우물, 상욱이네 집 무화과나무, 호철이네 집 먹구슬나무, 그리고 우리 집 돗통시와 그 옆의 우물….

골목에서 놀다가 지치면 우리는 누가 먼저랄 것도 없이 바당으로 내달렸다. 골목을 벗어나 한 이백 미터 거리다. 바당에 도착하자마자 훌러덩 옷을 벗고, 벗은 옷은 먹돌로 잘 눌러두고 첨벙첨벙 바당으로 들어간다. 엄격한 동네 형의 가르침에 우리는 초등학교 2학년이 되기 전에 개헤엄을 배웠다. 물속에서도 눈을 부릅뜨고 보말이며 구살이며 구쟁기를 잡았다. 가끔은 포구로 자릿배가 들곤 했는데 그럴 때면 형들은 특공대를 조직해 몸을 날렸다. 자릿배에 올라 자리를 한 움큼 서리를 하곤 바당으로 뛰어들어 배 밑창을 통과해 멀리멀리 도망치곤 했다. 여기저기서 마른 가지들을 주워와 대꼬챙이에 꽂힌 자리를 구워 먹는 맛이란! 먹다 보면 입 주위가 검게 그을렸고 해는 뉘엿뉘엿 지고 있었다. 그때쯤이면 방파제 위에서 어머니들이 나와 "수열아, 밥 먹으라!", "준수야, 집에 글라!" 하고 외자기는 소리가 어김없이 들려오곤 했다.

무근성 골목에서 나와 바당으로 간다.

어머니가 외자기며 부르던 방파제는 오래전에 사라지고 없다. 탑동이 매립되면서 전혀 다른 모습으로 변한 것이다. 지금의 오리엔탈호텔이 위치한 곳이 방파제가 있었던 곳이 아닐까 한다. 그러니까 라마다호텔이나 이마트는 그 무렵 바다 한가운

데였다는 말이다. 이마트가 있는 곳에 아마도 원담이 있었다. 원담, 돌그물이다. 물이 들었다가 빠져나가면 너나없이 원담에 들어 돌그물에 걸린 것들을 주워 담았다. 코생이, 볼락, 어랭이, 물도새기, 물꾸럭…. 나는 동네 형들을 졸졸 따라다니는 입장이라 제대로 잡지를 못했는데 그럴 때마다 그들은 나를 챙기는 것을 잊지 않았다.

어둠이 내려앉기 시작한다. 매립된 방파제의 끝에 오른다. 산책을 나온 이들로 붐비기 시작한다. 한쪽에서는 젊은 친구들이 '치맥'을 즐기고 있다. 불꽃놀이를 즐기는 이들도 눈에 띈다. 방파제에 걸터앉아 바다 끝에 시선을 준다. 아직 이른 시간인가? 별이 보이지 않는다.

초등학교 2학년 무렵이었다고 기억한다.

집에서 저녁을 먹고 이따금 방파제로 나오곤 했다. 어둠이 짙어지면 수평선에는 아른아른 별이 나타나곤 했다. 나는 무척이나 궁금해졌다. 수평선에 있는 저 별들이 언제 하늘로 올라가는지 지켜보기로 했다. 별들의 고향이 다름 아닌 수평선이었다는 걸 새롭게 발견한 순간이다. 나만의 비밀에 부치고 싶었다. 그리고 하늘로 올라가는 별을 확인하고 싶었다. 눈에 진물이 나도록 지켜보았으나 결국 수평선의 별은 하늘로 오르지 않았다. 그 다음 날도 그 다음 날도….

수평선에 떠 있는 별들이 집어등이었다는 걸 깨달은 건 나중의 일이다. 나는 지금도 그게 집어등이 아니라 별이었다고 믿고 싶다. 물론 시간은 나를 데리고 중년의 문턱까지 와버렸지만 어린 마음에 작은 새가슴을 콩닥거리게 하며 수평선에 가물가물 떠 있는 별들이 언제면 하늘로 오를까, 하고 지켜보던 그때 그 마음을 지우고 싶지 않다. 그런 어처구니없는 상상력 때문인지 지금 나는 시(詩)라는 걸 쓰며 산다.

●

어느 할머니의 거룩한 생애

제주 4·3항쟁 70주년을 맞아 준비한 〈제주 4·3 생존 희생자 그림 기록展 — 어쩌면 잊혀졌을 풍경〉을 결코 잊을 수가 없다. 70년 전 제주섬에서 3만의 죄 없는 목숨을 앗아간 항쟁의 소용돌이 속에 죽지 못해 살아 온몸과 마음에 상처와 흠집이 아로새겨진 18명의 생존 희생자를 보듬고 위로하기 위한 그림 채록 작업이었다.

화가가 어르신들을 직접 만나 체험담을 공유하고, 살아남은 게 죄가 되어 평생을 가슴에 품고 살았던 그들의 '그날'을 손수 그림으로 그리고 삐뚤빼뚤한 문자로 기록하는, 결코 쉽지 않은, 태어나 처음으로 자신의 '그날'을 세상 밖으로 드러내는 작업이었다.

모든 분들의 작업이 소중했지만 그 전시에서 내 발걸음을 단박에 동여맨 전시는, 다름 아닌 지금 소개할 윤옥화 할머니의 삶과 그림이었다.

할머니와 동행한 작가는 강정마을 해군기지 반대투쟁으로 제주와 인연을 맺고, 지금은 제주사람이 된 홍보람 작가였다. 그는 할머니에게 여린 손을 내밀었고 〈그리움은 언 마음을 녹이고〉라는 할머니의 이야기와 그림이 세상과 만나게 된 것이다. 할머니의 '그날'은 이렇게 시작된다(할머니가 손수 그린 '그날'을 그림으로 보여줄 수 없어 안타깝다).

—음력 12월 19일, 눈이 엄청 왔던 날. 오후 5시쯤 군인들이 와서 나오라고 했다. 북촌국민학교에 갔다가 아빠는 학교 안으로 들어가고, 둘째 언니는 학교 안으로 큰어머니와 들어가고, 나, 엄마, 큰언니, 동생, 오빠는 당팟으로 끌려갔다. 맨발로 급하게 나오느라 높이 쌓인 눈에 발이 푹푹 빠지며 갔다.

—당팟에서 엄마가 우리 모두를 치마 속에 다 안았다. 갑자기 총소리가 들렸고 큰언니가 '아이고' 해서 보니 배에 총을 맞아 배 안에 있는 것이 나왔다. 나는 등에 총다마를 맞았다. 동생

은 총을 일곱 군데 맞았다. 하지만 죽지는 않았다. 오빠는 총을 한 군데도 맞지 않고 살았다. 엄마는 그 자리에서 돌아가셨다. 큰언니도 죽었다.

— 나는 등에 총을 맞아서 손가락만 한 총알이 등에 박혀 있었다. 동네 어른이 친척을 찾으러 왔다가 나를 보고 총알을 뽑아주었다. 소독을 하고 쑥을 짓이겨 붙이는 것이 다였다. 몇 년 전까지 날이 안 좋으면 쑤시고 아팠지만 지금은 괜찮다.

— 다음 날 우리는 함덕으로 갔다. 내 머리가 온통 피범벅이 되어서 둘째 언니가 내 머리카락을 잘라주고 씻겨주었다. 동네 사람들이 옷도 주고 먹을 것도 주었다. 다음 날 큰어머니와 사촌 언니와 언니, 오빠가 북촌으로 와서 어머니, 아버지 시신을 수습했다. 다음 날 서우봉 산자락에 두 분을 합장해 모셨다. 이장할 때 옷이라도 한 벌 해드리는 것이 지금까지 가슴 아픈 나의 소원이다.

— 총을 일곱 발 맞은 동생은 고모가 업고서 함덕에 왔다. 고모가 동생을 구덕에 눕혀 항상 흔들어주었다. 약은 소독약밖에 없었다. 동생은 3개월 있다가 갔다. 먹을 것이 없어서, '성! 밥 좀 줘!' 했던 것이 생각난다.

— 함덕에서 3개월 정도 있으니 이제 자기 가고 싶은 데로 가서 살라고 했다. 우리는 옛집터로 돌아와 산에 가서 나무와 새를 해와서 움막을 지었다. 여기서 20년 정도 살았다.

— 어느 날 동네분이 초신을 삼아주었다. 그전까지 맨발로 살다가 초신을 신으니 매우 지꺼졌다. 그리고 3년 정도 후에 큰어머니가 검정 고무신을 사 오셨다. 머리맡에 두고 아까워서 신지를 못하고 손에 들고 맨발로 다녔다.

— 나는 언니를 따라 우리 밭에 김을 매러 갔다. 잡초를 뽑는데 자꾸 잠이 왔다. 언니는 자꾸 나에게 일어나라고 돌멩이를 던졌다. 그래서 깨었다.

— 열두 살쯤 본격적으로 물질을 했다. 처음에 언니가 물소중이를 바느질해서 만들어주었다. 다음부터는 내가 직접 만들어 입었다. 7, 8월이 되면 억새를 해서 심은 다 버리고 껍질을 두드려 부드럽게 만들고 새끼를 꼬아 미역 담는 망사리를 만들었다. 미역을 따서 말려 장에 나가 팔았다. 10원, 20원 받으면 군것질도 하고 옷도 사 입고 신도 사 신었다.

—지금은 몸이 아프지만 그래도 견딜 만하다. 우리 동네 퐁낭에 점심 먹고 가면 친구들이 있다. 이 친구들과 한 30분 논다. 한참 웃다가 온다. 다리운동을 해서 다시 바다에 나가면 좋겠다.

홍보람 작가의 표현을 빌리면 '모든 것이 갑자기 뚝 하고 떨어진' 윤옥화 할머니의 '그날'은 말과 글로는 어찌해볼 수 없는 '언어절(言語絶)' 그 자체다. 적당히 아프고 적당히 슬퍼야 말이 되고 글이 되는데, 한날한시에 왜 끌려가야 하는지 왜 죽어야 하는지도 모른 채 부모 잃고 형제자매를 잃은 우여곡절을 담아내기에 말과 글은 초라하기 그지없다.

더 기막힌 것은 그러한 아픔과 상처를 망각하지 않으면 살 수 없었던 시절이었고 세월이었다. 누구의 표현을 빌리면 '공산주의자가 아니었으나 죽어서 공산주의자가 되어버린' 통한의 시절이었기에 차마 입에 담을 수 없었고, 내일을 살아갈 자식을 위해서는 스스로 망각을 자초하지 않으면 안 되는 시간이었다. '기억의 자살'인 동시에 '기억의 타살'인 것이다.

'말은 태어나면 제주로 보내고 사람은 태어나면 서울로 보내라'는 속설 그리고 '섬 밖으로 나오는 자는 무조건 엄벌에 처하라'는 2백여 년에 걸친 이른바 '출륙금지령'이라는 극단적인 지역 혐오의 유령이, 미군정기에 일어난 4·3 당시까지만 해도 서슬 퍼렇게 살아 있었던 것은 아닐까?

혹시 모른다. 국책사업이라는 이유로 주민의 의지와는 무관하게 군사기지를 들이고, 공항을 건설한다는 이유로 자연의 뭇 생명을 송두리째 앗아가고 있는 지금, 내가 사는 이곳 제주는 여전히 누군가에겐 혐오의 섬일지도….

●

돌아갈 수
없어서
그리운 것들

지구촌을 뒤흔들었던 코로나19가 소강 국면을 맞고 있지만 아직은 긴장의 끈을 놓을 때가 아니라는 보도가 연일 이어지고 있다. 그동안 앞만 보고 가파르게 내달렸던 문명의 질주에 대해 깊은 성찰의 시간이 주어진 것이다. 어떻게 보면 엎질러진 물일 수도 있겠다. 성찰을 해봤자 이미 유효기간이 지났다면 인류는 그만큼의 대가를 치를 수밖에 없다. 자업자득인 셈이다.

코로나19의 국내 상황이 호전되면서 상대적으로 해외 나들이가 난감해지자 오히려 제주를 찾는 외방객들이 늘어나고 있다는 보도를 입증이라도 하듯 호텔은 연일 만원이고 길거리에서도 '허' 씨 차량이 줄을 잇고 있다. 한쪽에서는 외방객이 올 필요 없도록 대규모 유채꽃밭을 송두리째 갈아엎는가 하면 다른 한쪽에서는 그래도 끊임없이 제주의 구석구석을 찾아 누비고 있는 게 지금 제주의 모습이다.

1.

비양도로 향했다. 사람들이 잘 찾지 않는 섬 속의 섬이라 간만에 다녀오고 싶었다. 실은 거기 가면 내가 좋아하는 먹거리가 있어서 문득 생각이 난 것이다. 한림항에서 배로 20여 분, 비양도에 내리면 우선 섬다움의 한산함이 좋다. 똑같은 섬 속의 섬이지만 우도나 마라도는 시끌벅적한 것이 영 내키지 않는다. 섬다움이 사라진 것이다. 섬다움이 사라진 섬에 왜 사람들이 저리도 꾸역꾸역 몰려가는지 오히려 궁금해진다.

비양도는 지난 새천년을 맞아 '비양도 탄생 천 년!'이라는 캐치프레이즈를 내걸고 대대적인 홍보를 펼친 바 있다. 화산 폭발로 섬이 탄생한 지 천 년이 되었다는 소리다. 물론 문헌적 근거가 없는 것은 아니나 그 섬은 이미 오천 년 전에 사람이 살았었다는 흔적이 발굴되기도 하였으니 여기서 그 옳고 그름을 따질 계제는 아닌 듯싶다.

섬에 내리면 사람들은 으레 섬을 일주하거나 섬 가운데 우뚝 솟은 비양오름에 오르는 일정을 잡는다. 일정이라고 해봐야 실은 그게 전부다. 그런데 나는 섬에 내리면 포구에서 바로 눈에 들어오는 식당으로 들어간다. 88년 서울올림픽이 열리던 해에 그 집에 아이가 태어나 호랑이 비슷한 이름의 마스코트를 간판으로 내걸었다 하는데, 그냥 그렇게 알고 있을 뿐이다.

그곳에 가면 맛좋은 상차림이 여럿 있는데 내가 거기를 찾은 이유는 단연 보말죽 때문이다. 한 끼 거뜬할 정도의 양도 양이지만 핵심은 맛이다. 그 코시롱허고 배지근허고 듬삭헌 맛이라니!

언젠가 그 집에 들러 보말죽을 주문하고, 앉아 기다리는데 안쪽에서 할머니 한 분이 삶은 보말을 까고 있어 밍기적밍기적 엉덩이를 밀고 다가가서 잠시 뜸을 들이고는 할머니에게 물었다. 할머니, 여기선 보말을 뭐렌 헙니까? 죽은 어떵 만드는 거우꽈? 할머니가 흘끗 나를 쳐다보더니,

보말이 보말이주, 보말을 뭐셴 고라?
고메기? 난 몰라, 우리 동네선 그자 보말

물 싸민 갯것이 강 그거 잡아당
솥단지에 놩 개끔 부각헐 때꼬지 숢앙
이불바농으로 눈 멜라져가멍 토다아장 그걸 파내엉
딱지도 때내곡 또시 고는 채에 놩

손으로 박박 문대기믄 요물은 남곡 똥은 헤싸지곡
똥 헤싸진 물에 곤쏠 불린 걸 낭 보글보글 끓을 때
보말 요물 넣곡 당근 송송 썰어 넣곡 마늘쫑 쫑쫑 썰어 넣곡
다시 바질바질 끓으민 약헌 불에 맞췽 촘지름 넉넉허게 낭
휘휘 저시믄 그게 보말죽이주
배추김치에 참깨 절인 것에 흔번 먹어봐, 잘도 코시롱허여

무싱거? 깅이죽? 거 쓸데어신 소리 마랑
요레 아장 보말이나 파라
마, 바농!

— 졸시, 「보말죽」 전문

2.

여든 넘은 어머니가 쉰 넘은 아들 위해 해마다 자리철이면 자리물회 만드신다 말이 운동이지 바람 불면 휘청이는 몸으로 허청허청 동문시장에 가서, 보고 또 보고 고르고 또 골라 알밴 자리 한 양푼 미나리 한 줌 양파 두 개 오이 두 개 깻잎 열 장 쉐우리 한 줌……

어느젠가 "자리물회 맨들아시매 왕 시원히 혼 사발 허라" 하는 말에 가서 먹는데, "식당엣것보다 맛 좋수다" 지나가는 말로

한마디 했는데 그때부터 어머니는 해마다 자리철이면 시장에
가서 자리 사다 조선된장에 빙초산 넣고 조물조물 버무려 물회
를 만드신다

앞으로 몇 년 더 만들지 모르지만 내년에도 내후년에도 올해
처럼 만들고 또 만들어 "자리물회 맨들아시매 왕 시원히 혼 사
발 허라" 하는 어머니의 목소리를 듣고 또 들었으면 하는 지나
친 욕심을 부려보는 것이다

— 졸시, 「자리물회」 전문

아버지가 돌아가시고 어머니가 혼자 사실 때만 해도 어머닌 당연히 주방을 차지하고 계셨다. 그러다가 건강이 쇠약해져서 딸네 집에 얹혀사는 신세가 되었는데, 결국 주방의 결정권을 잃고 말았다.

어머니가 주방 출입을 하실 때는 여름만 되면 자리물회 한 그릇 하라는 전화가 걸려오곤 했다. 얼마 전까지만 해도 어머니는 여름에 자리물회를 못 해주는 게 속이 상하셨던지 가끔 그 얘기를 꺼내셨다. 자리물회를 해주고 싶은데, 장에 갈 수도 없고 이젠 힘이 들어 만들 자신도 없으시다고 말이다.

사실 어머니의 자리물회는 소문난 유명 식당의 그것보다 내 입맛에 딱 맞았다. 된장 맛인지 손맛인지는 잘 모르겠으나 아

직까지 식당에서 그런 맛을 찾지 못했다. 흉내라도 내볼까 하여 재료들을 사다 집에서 만들어보지만 전혀 그 맛이 아니다. 내 기억 속의 맛 하나가 지워지고 있는 것이다.

구순을 넘기신 어머니는 이젠 더 이상 자리물회 이야기를 하지 않으신다. 만들어줄 수 없기 때문인지, 아예 기억의 저편으로 가물가물 사라져버린 탓인지 알 수는 없지만.

코로나 얘기를 하다가 먹거리 얘기가 돼버렸다. '사회적 거리두기'란 신조어가 처음에는 여간 낯설지 않더니만 하도 귀에 못이 박혀서 그런지 무덤덤하게 들리는 요즘, 나는 난데없이 예전 입맛이 더욱 그리워진다. 갯가에 가서 보말을 잡아다 해거름이 되면 모깃불을 피워놓고 식구들끼리 둘러앉아 도란도란 요물을 까먹던 시절이 그립다.

골목마다 구덕에 지고 다니면서 "자리 삽서! 자리 삽서!" 소리 높이던 아주머니와 적당히 흥정을 하고 저녁상이면 양푼에 만들어진 자리물회에 우물물을 떠다 시원한 물회를 만들어 먹던 그 시절이 그냥 그리운 것이다. 그 무렵엔 코로나19 같은 것은 얼씬도 할 수 없던 시절이라 그리운 것이다. 돌아갈 수 없어서 더욱 그리운 것이다.

●

멀리 있는 건
언제나 그립다

○

뒷패 고(故) 최정완 1주기에 부쳐

그러니까 그게 언제였더라. 가만있어보자. 우수 지나 경칩 전이었으니 2월 막바지가 아니었나 싶다. 항도 부산 황해순이가 전화를 했더라. 핸드폰이 말썽이라 수리하러 갔더니 너무 오래되어 더는 사용하기 곤란하다면서 요즘 잘나가는 스마트폰으로 바꾸는 게 어떠냐는 말에, 그럴 필요 없다고, 그저 오면 받고 궁금할 땐 걸기만 하면 되니까 이왕이면 글자가 크게 보이는 옛날 걸로 달라 해서 바꾼 지 얼마 되지 않은 터라, 받는 것도 서툴고 거는 것은 더 서툴러서 이래저래 헤맬 즈음이었지. 혹시나 해순이가 제주에 왔나 해서 다시 걸었는데 바로 받데.

잘 지내나? 그래 잘 지낸다. 니는? 나도 그렇다. 지금 제주가? 아이다, 부산이다. 근데, 니 글 쫌 써라. 무슨 글? 벌써 정완이 1주기 다 되어간다 아이가? 니 알다시피 정완이가 입춘굿 때나 4·3 때 부지런히 제주로 발품 팔았다 아이가? 그래 맞다. 그라니께네, 니가 제주에서 추억을 가지고 정완이에 대한 글을 좀 써줬으면 해서 전화한 기다.

해순이 목소리가 채 떨어지기도 전에, 아, 큰일 났다 싶더라. 아니나 다를까, 갑자기 성성한 머리카락에 더부룩한 수염을 한 정완이 니가, 수열아, 시방 뭐하노? 하면서 확 다가오는 바람에 잠시 아무 말도 못 하고 멍하니 있었다. 내가 왜 그랬는지, 아마 해순이는 몰라도 니는 잘 알끼다. 니 제주에 왔을 때 내가 잘 챙겨주지 못한 거, 니는 잘 알잖아. 민예총 경철이나 석윤이, 놀이패 '한라산' 경훈이나 미란이가 니를 주로 챙겼지, 나는 별로였다 아이가? 그게 늘 마음에 걸렸는데 추억담을 중심으로 글을 써달라니, 진짜 고민이 되더라니까. 전화기에다 대고 사정 조로 해순이한테 말했지.

해순아, 정완이가 제주에 자주 온 건 맞는데 오면 주로 후배들이 챙겼지, 나는 뭐 별로다. 해서, 내 생각인데 그런 추억담은 후배에게 맡기고 나는 다른 거, 뭐 추모시나 이런 거, 그런 거 하면 안 되까? 추모시? 아, 뭐 것도 좋지만 추모시 쓸 사람은 여기 편집위원 중에도 있고(그기 서정원 시인인 줄은 정완이 추모식

장에 가서 알았다), 부산에서 편집회의할 때 제주 얘기는 수열이니가 쓰는 게 좋겠다 해서 전화했는데, 아무튼 우리도 고민은 해보께. 그래 고민 좀 해줘. 내가 안 쓰겠다는 것이 아니고 더 좋은 추억담이 되려면 내 말고 다른 사람이 쓰는 게 좋을 거 같아서…. 일단 알았어. 고민은 해볼 테니까 내 핸드폰으로 니 메일 좀 보내줘. 원고청탁서를 보내야 하니까. 알았다, 곧 보내께. 음 그래, 고맙다. 한번 부산 안 오나? 알았다, 가야지. 가서 한잔 해야지. 그래, 내 문자 보내께.

기다리게 해서는 안 될 것 같아 내 메일을 문자로 넣었는데, 바로 메일이 왔더라. 보내준 원고청탁서를 보고, 아, 내가 또 잘못 생각했구나. 군소리 말고 써야겠구나, 했다. 근데 막상 쓰려니 뭘 어떻게 써야 할지 그저 난감할 뿐이다. 정완아, 나 좀 살려도….

이번 입춘굿에서였다. 제주민예총 지회장이 새로 바뀌고 입춘굿이 열리는데, 나는 학교를 마치고 부랴부랴 시청으로 갔다. 멀찌감치 무병이 형도 보이고 상철이 형도 보이고, 그렇지, 채희완 교주도 보이고…. 채 교주한테 하마터면 물어볼 뻔했다. 정완이는 안 왔냐고. 니는 늘 그 자리에 있었다. 마땅히 그 자리에 있어야 할 섬놈들보다 니는 먼저 그 자리에 있었다. 어디서 뭐 하다가 인제 오냐,는 눈빛으로 니는 늘 거기에 있었다. 그리고 시청에서 관덕정까지 같이 걸었다. 나는 가끔 걸어가기가 추워, 몇몇 선배들을 꼬드겨 내려오다가 보성시장 현경식당에 들러 순대국밥에 막걸리 한잔하고 그 기운으로 불콰하게 내려가곤 했는데, 정완이 니는 샛길로 빠지지 않고 묵묵히 낭쉐 뒤에 서서 왕강징강 연물 소리에 어깨 들썩이며 관덕정으로 갔다.

관덕정에서 다시 만나면 니는 또 불콰해진 나를 보고 한심하다는 표정으로 입춘 국수를 내주면서, 벌써 한잔했나? 와서 막걸리 한잔해라, 하면서 술잔 가득 막걸리를 따라주곤 했지. 그럭저럭 낭쉐몰이가 정리되면 삼삼오오 막걸릿집으로 들어가곤 했는데, 참, 정완아 그게 언제였더라. 몇 해 전에 입춘을 앞두고 니가 전화를 했지.

수열이가? 내다, 정완이. 그래, 반갑다. 어찌 지내노? 어찌 지내기는, 잘 지내지. 그건 그렇고, 수열아, 이번 입춘굿 때 말이다. 딴따라 후배들 데리고 제주에 갈 생각이거덩. 왜, 무슨 일 있나? 일은 무슨. 가서 입춘굿도 보고, 한잔하겠다는 거 아이가. 그래 와라. 근데 후배들 차비는 어찌어찌 됐는데 술값, 밥값이 없다. 니가 좀 해결해도…. 야, 정완아. 술 사고 밥 사는 거 못 하겠나. 걱정 말고 와라. 와서 한잔하자.

그때, 그렇게 해서 선술집 '이산저산'에서 만났지. 기억나는 건 정말 오랜만에 그 자리에서 광주 강희를 본 거야. 너무 반갑더라고. 아프다는 소식만 듣고 있었는데 그렇게 얼굴을 보게 될 줄은 정말 몰랐지. 강희는 술잔을 받아 들고 한쪽 구석에 앉아, 야윈 얼굴로 가만 엿듣고만 있었지. 내 기억으론 어떻게 하면 민족극한마당을 생산적으로 운영할 수 있을까를 안주 삼아 얘기하지 않았나 싶다. 니는 자꾸 나한테도 한마디 하라고 했는데, 정말이지 그때 너무 미안하더라. 사실 그즈음만 하더라도 민극협(전국민족극운동협의회)의 움직임에 대해 깊은 관심을 가지고 있지 않았거든. 그러니 할 말이 있나? 잘못 얘기를 꺼냈다간 낭패 보기 십상이고. 그냥 술잔만 홀짝거리다가 덥수룩한 니 얼굴을 보면서 생각했지. 정완이 저 친구, 참 대단한 친구라고.

아, 문자가 왔네. 영화평론가 양윤모 형이 보석으로 오늘 풀려난다네. 가만있어보자. 니, 제주에 왔을 때 윤모 형을 만난 적 있었나? 못 만났을 수도 있겠다. 형은 영화 쪽이고 우린 딴따라니까. 윤모 형, 참 대단한 양반이다. 강정이 평화의 아이콘이라면 윤모 형은 강정의 아이콘이라 해도 지나친 표현이 아니지. 이번이 강정 해군기지 반대로 해서 두 번째 구속인데 첫 번째 57일 단식, 이번엔 42일 단식이다. 강정 구럼비가 죽어가는데, 제발 살려달라는 구럼비를 살리지도 못하는데 밥을 끊고 물과 소금을 끊는 게 뭐 그리 대수냐며 많은 지인들의 염려와 만류에도 불구하고 결연히 식음을 전폐했던, 그런 형이다. 모질다고? 전혀 그렇지 않은 양반이다. 오히려 눈물이 많은 형이다.

곤을동에서 4·3해원상생굿을 할 때였지. 우리는 굿판에 모도록이 앉아 막걸리 한잔하면서 굿을 구경하고 있는데 형은 멀찌감치 떨어져 혼자 앉아 있는 거라. 무슨 궁상인가 해서 다가가보니, 참나 혼자 울고 있는 거야. 눈물이 나서 쪽팔려서 옆에 못 가겠다는 거야. 지도 섬놈인데 4·3에 대해 몰라도 너무 몰라서 너무 화가 난다는 거야. 그런 바보 같은 형이지. 강정 싸움이 시작되던 때부터 아예 주소를 강정으로 옮기고 구럼비 바위 위에 텐트를 치고 구럼비와 함께 살았지. 혹시 니도 가봤는지 모르겠지만 구럼비는 그냥 바위가 아니야. 살아 있어. 살아 있으니까 붉은발말똥게도 살고 층층고랭이도 살고 가끔씩은 범섬을 지나던 남방큰돌고래도 놀러 오곤 하지. 맨발로 구럼비 위에 서봐. 포근하고 넉넉해. 따뜻해. 왜 있잖아. 우리 어릴 때, 하루의 노동을 마치신 아버지가 피곤한 몸을 누이시며, "얘야, 등 좀 밟아라" 했을 때 등에 올라간 느낌. 그런 살아 있는 바위에 저들은 천공을 뚫고 무자비하게 갈기갈기 찢어발기고 있지. 펜스를 쳐서 목을 조여 죽이고, 폭약을 터뜨려 다시 죽이는, 그야말로 부관참시의 현장이 바로 강정 구럼비야.

그런데도 참 놀라운 게 있다. 강정에 가면 평화가 보여. 희망이 보인다니까. 주민 대다수가 공무집행방해죄로 전과자가 됐는데 너무 의연해. '해군기지 결사반대' 피켓을 들고 시위하다 앞집 아지망이 잡혀가면 다음 날은 뒷집 아지망이 '사랑해요 강정마을' 피켓을 들고 시위 현장으로 나서는데, 너무 당당해. 그뿐이 아니야. 매일 저녁 촛불집회를 하는데 마지막 순서가 율동과 노래야. 다 같이 흔들고 소리 지르고…. 그게 강정이야.

얘기가 잠깐 샛길로 빠졌다. 참 며칠 전에 경철이 할머니 상을 당하셔서 조문을 다녀왔다. 석윤이도 있더구나. 오랜만이라 한잔했지. 네 얘길 했더니 석윤이 하는 말이, 네가 제주에 왔을 때 나눈 이야길 지역신문 칼럼으로 쓴 게 있다며 내게 보내왔더라. 읽다가 울컥, 하고 뜨거운 것이 올라오더라. 민극협 이사장 임기가 끝나면 남의 땅을 빌려서라도 텃밭에 고구마도 심고 야채도 키우고 벼농사도 지으면서 살겠다고 했다며? 괜한 짓 하지 말고 돈 벌 궁리나 하시라는 석윤이의 핀잔에 너는 "내가 언제 집에 돈이란 걸 갖다줘봤냐?" 하면서 딴따라 후배들 찾아오면 빈속에 다니지 마라고 밥이라도 해 먹여야 할 것 같다고 했다며? 그렇다, 정완아. 너는 정말 광대다. 그 품이 하도 넓고 커서 이름 그대로 무변광대다.

그럭저럭 마무리를 해야겠다. 참, 그게 언제였더라? 그래, 입춘굿 때였지. 나는 현기영 선생의 「순이 삼촌」 시나리오 작업을 한답시고 집 근처 바닷가 조그만 방에 머물 땐데, 그때 낭쉐몰이를 끝내고 여럿이 한잔하다 들어와 그 방에서 캔맥주로 마무리하고 같이 잠을 잤지. 무슨 얘기를 나누었는지는 별 기억은 없다.

한 가지 잊지 못할 것은 아침에 일어나 집을 나올 때 니가 목에 걸었던 삼족오 목걸이를 풀어 "아나, 니 가져라" 하며 내게 건네주더구나. 주겠다는데 마다할 수도 없고, 목걸이를 주는데 무슨 연인 사이도 아니고, 글쎄 왜 그걸 내게 줬을까? 그 목걸이 지금 어디 있는 줄 아냐? 내가 목에 걸고 다니지 않으니까 잃어버렸을 거라 생각했겠지? 정완아, 걱정하지 마라. 내 차 백미러에 잘 걸려 있다. 그걸 볼 때마다 니 모습을 떠올리기도 하고, 태양 속에 산다는 다리가 셋인 까마귀를 너는 왜 내게 남겨두고 갔을까?

돌아보면 미안한 게 한두 가지가 아니다. 니가 제주에 왔을 때, 우리의 동선은 너무 단순하고 초라하기 그지없었다. 문예회관에서 놀이패 '한라산' 연습실만을 시계추처럼 왔다 갔다 했으니 말이다. 어디 변변한 곳이라곤 단 한 번도 같이 간 적이 없으니 입이 열 개라도 할 말이 없다. 시간을 거스를 수만 있다면 보성시장 현경식당에 가서 순댓국에 막걸리도 한잔하고 싶고, 서귀포 외돌개를 출발해서 풍광이 제일 좋다는 올레 7코스를 꼬닥꼬닥 걸어 도착 지점에 위치한 강정마을에 들러 공철이 오라 해서 생명평화 해원상생굿도 한판 치고 싶고, 북촌 너븐숭이 애기무덤 지나 동복리 해녀의 집에서 바다를 배경으로 회국수 안주 삼아 소주잔도 기울이고 싶고, 눈 덮인 겨울이면 사려니오름으로 가다가 이덕구 산전으로 빠져 군병놀이도 하고 싶고, 애월 지나 귀덕에 가서 그림 그리는 요배 형 작업실에 퍼질러 앉아 밤새도록 세상 얘기도 나누고 싶고, 마라도 기원정사에 가서 스님과 곡차를 나누다가 서녘 하늘로 지는 붉은 노을도 보고 싶은데….

세상 참 야속하다. 너는 시방 여기 없고, 나만 구부정하게 남아 새로 산 핸드폰을 아무리 눌러도 너는 대답이 없으니.

●

내 숨결이 바람이며 내 몸이 곧 섬이다

○

미디어아트 퍼포먼스
〈2018 사라진 것들의 미래—사남굿 설문대〉에 부쳐

1.

태초에 설문대라는 여인이 있었다.

옛 문헌을 보면 선문데할망, 세명뒤할망, 세명주할망 등으로 기록되어 있고 대표적으로 설문대할망이라고 하는데, 이 글에서는 나이 듦을 의미하는 할망을 빼고 그냥 설문대 혹은 설문대 여인이라 부르기로 한다. 만약 설문대가 살아 있다면 할망이라고 부르는 것보다 설문대 아니면 설문대 여인이라고 호명해주는 것이 더 기분 좋은 일 아닐까? 비록 그가 할망일지라도 말이다.

그런데 설문대라는 이름자 뒤에 할망이라는 호칭을 부여한 이는 신(神)이 아니라 인간임을 기억해둘 필요가 있다. 그렇다면 인생세간에서 할망은 어떤 의미망을 가지고 있을까? 백발이 성성하고 얼굴에 잔주름이 자글자글한 외모보다는 그 내면을 주목하지 않았을까?

나이가 있으니 당연히 모진 풍파와 산전수전을 오롯이 겪은 노련하고 경험이 풍부한, 다시 말해 삶의 진경을 온몸으로 체득한 자가 아닐까? 그리하여 명주 바당 같은 너그러움으로 남을 위해 한없는 아량을 베풀고는, 궁극에 가서는 자신을 제물로 희생함으로써 무궁무진한 뭇 생명들에게 새 숨결을 불어넣는 그런 존재로 인식된 것은 아닐까?

그 설문대를 중심에 놓고 비가비 굿쟁이들이 의기투합하여 사남굿 제청을 마련한다.

당초 사남굿은 원통하고 억울하게 죽은 조상을 위로하고 위무하는 굿이다. 허나 이들이 마련한 제청은 기존의 사남굿이 아니라 그들 나름으로 재해석한, 이른바 산 자에 위한 살림굿으로서의 사남굿이다. 〈2018 사라진 것들의 미래—사남굿 설문대〉가 바로 그것이다.

인구에 회자되는 바, 죽 솥에 빠졌든 끝을 가늠할 수 없는 한라영산 물장오리에 빠졌든 그 빠짐이 곧 죽음으로 끝난 것이 아니라 소멸함으로써 비로소 섬으로 거듭 태어나게 되었고, 그리하여 '제주섬 자체가 곧 설문대'라는 해석에서부터 이번 프로젝트를 풀어헤친다.

사체화생(死體化生)이라는 신화적 모티프를 빌어 "태초의 창조주 나, 설문대는 제주섬으로 화할 터이니 결코 내 육신을 훼손하지 마라"는 새로운 해석을 근거로 제주섬 곳곳을 낱낱이 들여다보고 있는 것이다.

2.

수년에 걸쳐 설문대의 발자취를 추적하면서 걷고 또 걷고, 듣고 다시 들었다. 눈에 담아 기록으로 남겼고 마음에 새겼다.

설문대 여인이 길쌈을 할 때 밝혔던 접시불의 받침대인 성산일출봉 등경대. 길쌈은 씨줄과 날줄의 직조와 이어지며 천지의 질서를 잡아나가는 과정과 같다. 설문대 여인이 솥을 걸어 밥을 지어 먹었다는 애월리 솥덕바위. 밥 짓기는 불의 사용이며 직조와 더불어 새로운 문명의 열림을 의미한다. 소중이 한 벌을 해주면 목포까지 다리를 놓아주겠다는 약속을 못 지키자 쓰고 있던 족두리를 벗어두었다는 오라동 족두리바위. 설문대여인의 빨래 바구니였다는 김녕리 두럭산. 심심파적으로 가지고 놀았다는 상가리 공깃돌. 명주 백 동을 채우지 못해 육지까지 다리를 놓아주려다 그 흔적만 남아 있는 조천리 관곶…. 돌아보니 안타깝게도 성한 곳이 없었다 한다. 깨지고 방치되고 제

멋대로 옮겨져 신성(神性)을 잃은 채 물성만 남아 덩그마니 놓여 있었다 한다.

신화의 시대에서 문명의 시간으로 건너오는 동안 신화는 문명의 뒤안길로 접어들어 촌로들의 입담으로 겨우 명맥을 유지하다가 그마저도 멸절의 위기에 처하고 말았으니 설문대 여인이 길쌈을 했다는 등경대는 오히려 을씨년스럽다. 그녀가 밥을 짓기 위해 솥을 얹혔던 솥덕바위며 머리에 쓰던 족두리바위는 그 내막을 이야기하기 전에는 그저 무심한 바위덩이로 덩그마니 남아 있다.

어디 그뿐이랴? 죽어 섬이 되어 오히려 살아난 설문대 여인은 머리에서 발끝까지 온통 상처투성이다. 그러한 상처가 바람의 시간에 퇴화되고 침식된 것이라면 자연의 섭리로 얼마든지 받아들이겠지만 문제는 그러한 몸의 파괴가 자본의 물성(物性)에 의한 작위적인 행위의 결과물이라는 점에서 그들은 분노하고 안타까워하고 있다. 그래서 그들이 할 수 있는, 사진으로 영상으로 또는 조형으로 결국은 행위예술을 통해 그들이 보고 느낀 바를 비록 서툴고 조악하다는 평판을 들을지언정 세상에 내보일 수밖에 없었던 것이다. 아는 만큼 느낀 만큼 드러내 보이지 않으면 물성에 의한 자본 침식의 정도와 속도는 우리의 상상력을 훨씬 뛰어넘을 수밖에 없을 것이라는 순박한 문제의식에서 출발한다.

3.

사진으로 합류한 유용예는 지금 가파도에 산다. 아직은 애기 잠수에 불과하지만 잠수로 생계를 꾸려가면서 사라져가는 것들을 오롯이 카메라에 담겠다는 열정을 가지고 오늘도 손가락 사이를 지나는 가파도의 바람을 가늠한다.

2004년 홀로 떠난 마라도 여행길에서 우연히 마주친 가파도에 눈길이 머물렀다. 마라도에서 나와 곧장 가파도로 간 것이 지금까지 인연으로 이어지다가 2012년부터는 아예 가파도에 정주하고 있다. 언젠가 가파도에서 해녀 삼촌과 함께 저물녘 바다를 바라보고 있을 때였다. 그녀는 그저 아름다운 풍광을 눈에 담고 있는데 그 삼촌은 삶을 직시하고 있다는 생각이 들면서 바다를 닮은 그 삼촌을 그녀도 닮았으면 좋겠다고 생각했다.

2015년 가파도 해녀들의 삶과 문화를 담은 개인 사진전 〈할망바다〉를 가진 바 있고 앞으로도 사라지는 것들에 대해 애정 어린 눈길을 주면서 그녀는 이렇게 말한다.

애기바다에서 물질을 배우고 상군으로 나섰다가 세월이 흘러 결국 해녀 할머니들이 육지로 올라오기 전 마지막 머무는 바다가 할망바다잖아요. 그 바다에 자꾸 눈길이 가요. 제주의 아름다움이 점차 훼손되어 사라지고 있잖아요. 그런 곳에 눈길이 가는 것처럼요.

굿춤으로 합류한 이도희는 지금 미국 오클랜드에 산다. 제주 모슬포에서 나고 육지에서 자라 고국을 떠난 지 18년이 된다. 그는 민들레 홀씨처럼 머나먼 이국에 있으면서도 아픈 역사를 늘 가슴에 품었다. 하여 제주와 한국의 역사, '위안부' 할머니들의 삶, 아시아계 이민자, 라틴아메리카의 이주자, 그리고 난민들의 삶에 대하여 끊임없이 굿의 몸짓으로 드러내는 일을 하고 있고, 이번 프로젝트 또한 그가 걸어왔던 길의 연장선 위에 있다. 이번 작업에 임하는 그의 얘기를 잠시 들어본다.

매섭게 불어오는 바람도, 날카롭게 날이 선 현무암의 돌도, 뼈가 시리도록 찬 바닷물도, 돌을 뚫고 자라 나오는 가시 달린 풀들도 모든 것들이 아픈 역사와 현실을 담고 있는 듯 발을 딛는 모든 곳이 내겐 아픔이었고 분노였고 그리움이었다. 떠나버린 자, 오랜 시간을 멀리서 방관했던 자의 자책감도 있었고 미안함도 있어서인지 이 작업이 참으로 기쁘고 소중한 만큼 아팠다.

이번 프로젝트에 기획과 연출을 담당한 한진오는 예나 지금이나 제주에 산다. 앞으로도 제주에 살 것이다. 그는 제주의 굿을 체계적으로 공부한 학자이면서 학문의 수렁에 빠져들지 않는, 이미 단절되어버린 제주 민속과 제주 미래와의 잃어버린 연결 고리를 찾아 오늘도 온몸을 혹사시키는 현장 일꾼, 심방이다. 또한 그는 제주의 현실을 진단하는 예리한 안목을 가지고 있어 급속한 난개발로 인해 무람하게 짓밟히고 있는 섬의 구석구석을 진단하고 예술을 통해 새로운 대안을 찾고자 발품을 아끼지 않는다.

신화와 전설 속에 남아 있는 돌과 바위들이 깨어지고 부서져 더는 신성을 느끼지 못할 정도의 처참한 모습이지만 여력을 다해 조금이나마 되살려보고자 했던 그 마음에서부터 이번 기획은 준비되었고 그러한 그의 노력은 쉬 끝날 것 같지가 않다. 그의 얘기를 들어보자.

무왕불복(無往不復). 지나간 것은 반드시 되돌아온다. 섬을 휘감아 돌며 치렀던 우리의 사남굿은 이제 시작이다. 제주 말로 '이 밤과 저 밤 사이'에 새로운 것이 다시 태어나고 사위어 가듯 한판의 굿이 끝나면 또 다른 굿이 시작된다. 나는 여신 설문대의 부활굿을 통해 우리가 잃어버린 자연성과 영성을 일깨우고 싶을 뿐이다.

4.

제주섬은 '태순땅'이다.

아이가 태어나면 올레 밖 삼도전거리에 그 아이의 탯줄을 사른 재를 묻었던 땅이다.

하여 제주섬에서 새로 태어난 생명체는 제주섬과 결국 둘이 아니라 영원히 하나일 수밖에 없었던 것이다. 섬 땅과 내가 둘이 아니므로 땅은 자본에 종속된 재화가 아니라 삶 그 자체로서 나의 어제이며 너와 나의 오늘이고 우리 모두의 내일이었다.

이제, 더러는 팔려 나가고 더러는 깎이고 더러는 매립되어 형체가 뒤틀려버린 설문대의 품안에서 귀 기울여 그녀의 숨결을 찾는다. 구름 위로 바람 소리 휘감긴다. 발아래로 물 흐르는 소리 여울진다.

설문대는 살아 있다.

●

언어와 역사로 읽는 제주의 삶, 제주의 문학

○

『제주인의 혼불』(고재환·고명철/각/2006)

이번 경우가 그랬다. 딱히 거절할 명분이 없었다. 얼마 전에 시집을 묶고 웬만해서는 글을 쓰지 말아야겠다고 마음을 다잡고 있었다. 누추한 글을 세상에 내놓은 터라 제 앞가림도 못 하는 주제에 남이 쓴 글에 대해 이러쿵저러쿵 토를 다는 게 어불성설이려니와 당사자에게도 누를 끼칠 따름이라는 생각에 단단히 벼르고 있었다.

그런데 전화 한 통에 여지없이 무너질 줄이야. 동문수학의 부자지간으로 한길을 가고 있는 고재환, 고명철이 공저로 펴낸 『제주인의 혼불』에 대해 몇 자 적어달라는 청탁을 받고 망설임

없이 수락해버리고 말았다. 거절할 수 없었던 사연인 즉 이렇다. 고명철과는 동향으로서 문학의 길을 함께 가고 있는 도반이다. 더군다나 내 시집에 대해 그가 발문을 쓴 바가 있어서 난색을 표하기가 여간 어렵지 않았다.

또 그의 부친인 고재환 선생님은 은사님이시다. 선생님은 나중에 대학으로 자리를 옮겨 후학들에게 배움의 길을 열어주셨지만 고등학교 시절 필자는 선생님으로부터 문학 수업을 받은 소중한 경험을 가지고 있다. 이래저래 거절하기 힘든 여건이라 일단 수락을 하고, 보내준 책을 펼쳐보니 후회가 막급이다. 평론가가 쓴 책에 대해 글을 쓰게 되다니! 난처하기 그지없어 비록 늦었지만 피해 갈 방법이 없을까 고민하다가 궁여지책으로 평론하는 후배에게 전화를 걸어 사정을 얘기하니 도저히 짬을 낼 수가 없단다. 마감일은 다가오고…. 어쩔 수 없이 글을 쓰고 있는 지금의 심정은 한마디로 살얼음을 걷는 기분이다.

1.

이 책은 크게 2부로 나뉘어 있다. 1부는 아버지인 고재환 교수가 평생을 화두로 삼은 제주어, 그중에서도 속담과 관련한 두 편의 묵직한 글이 실려 있다. 2부에서는 그의 아들인 고명철 교수가 민족문학의 입장에서 제주의 현대문학을 꿰고 있다.

평소 필자는, 민족문학의 뿌리는 다름 아닌 지역의 문학이고 또 지역문학이어야 한다는 생각을 의심해본 적이 없다. 그런데 여기서 말하는 지역문학의 알갱이는, 물론 지역의 언어에서 비롯된다. 새삼스럽게 떠올린다면 언어는 바로 그 언어를 사용하는 언중(言衆)들의 넋이자 혼이 아닌가. 아버지가 뿌리를 단단하게 하고 그 아들은 그 뿌리를 바탕으로 아름드리 밑동을 만들고 우듬지를 키우고 있는 것이다. 더군다나 작금의 제주를 되돌아보면 언어의 뿌리를 찾아 길 떠나는 일이 얼마나 외롭고 버거운 일인지를 아는 데는 그리 오랜 시간이 필요치 않다.

국제자유도시로서의 제주가 거론될 때마다 약방의 감초처럼 회자되는 것이 이른바 '영어공용화' 논쟁이다. 외국인 관광객을 많이 불러오기 위해서는 섬사람들은 모름지기 외국어를 능수능란하게 구사할 줄 알아야 한다는 것이다. 어디 그뿐인가. 얼마 전 보도에 의하면 제주에 대규모 영어 타운이 건설될 예정이라 한다. 명분은 외국으로 나가는 유학 비용을 도내로 유입하여 쏠쏠하게 재미를 보자는 속셈인 듯하다.

우리 선조들은 오랜 역사 경험을 토대로 바람직한 삶의 철학으로 '법고창신(法古創新)'을 들고 있다. 지금 제주에서는 그 어디를 둘러보아도 '법고'에 다가가려는 노력이 보이지 않는다. 그 결과 요즘의 아이들은 우리말을 쓰지 않는다. 말을 잃었으니 제주다움이 있을 리 없다.

잠시 고재환 교수가 소개하는 우리말 속담의 세계로 들어가

보자.

'싀 의똘이 소중이가 ᄒᆞ나인다(세 모녀가 고쟁이가 하나이다).'

옛날은 오늘의 팬티에 해당하는 속옷을 평상시에 입고 지내는 사람이 몇이나 있었을까. 가뜩이나 겉옷도 제대로 못 해 입고 사는 형편인데, 고쟁이인 '소중이'는 거의 입지 않고 지내는 경우가 많았던 것이다. 아무리 친숙한 혈육인들 세 모녀가 속옷인 고쟁이 하나를 가지고 어떻게 돌려가며 입을 수 있었는지, 좀처럼 납득할 수 없지만, 거짓말 같은 참말이다. 하나를 마련해 놓고 나들이 때만 입고 다녔으니 말이다. (「제주의 정체성과 언어 유산」, 21쪽)

요즘 사람들이 들으면 말도 안 되는 얘기라고 펄쩍 뛰겠지만 그게 제주 섬사람들의 삶이었다. 언어를 잃어가고 있으니 언어 속에 배어 있는 삶도 잃어가고 있다. 세 모녀가 한 고쟁이를 입으면서 제주섬의 오늘을 일구었는데 그러한 시대정신이 이제는 한갓 우스갯소리로 전락해버린 것은 아닌지 아쉬울 따름이다.

이뿐 아니라 고재환 교수의 글 중에 「재일동포의 '제주어 보존실태'는 어떤가?」라는 글은 비단 재일동포뿐만 아니라 오늘을 사는 제주 사람들에게도 시사하는 바가 매우 크다. 고재환 교수는 재일동포들의 제주어 사용에 대한 조사 결과에 대해 "세대 간의 엄청난 격차가 있다. 제주어의 필요성을 못 느끼고 있다. 일본어의 잠식으로 어조가 변질돼 있다. 잘 보존되고 있는 제주어들도 있다"고 결론을 도출하고 있다.

필자는 이 글을 읽으면서 제주어의 잠식이 재일동포에게만 국한된 것이 아니라는 생각을 지울 수가 없다. 바로 오늘을 살고 있는 제주의 젊은이들은 제주어를 어떻게 생각하고 있는지 되묻지 않을 수 없었기 때문이다.

2.

고명철 비평의 저간에는 제주 4·3이 자리하고 있다. 현기영의 「순이 삼촌」 이후 다양한 문학작품에 나타난 제주 4·3에 대해 접근하는 자리에서 그는 기존의 4·3문학에 대한 문제점을 놓치지 않고 예리하게 들춰낸다.

> 무엇보다 필자가 문제 삼은 바는, '4·3문학'이 지역주의 문학을 벗어나자면, 지역성에 기반을 두되, '4·3문학'의 여러 맥락이 국내의 다른 지역과 연대할 수 있는 지점을 모색하는 것은 물론, 제3세계 민중의 현실과 연대하는 가운데 '4·3문학'의

> 특수성을 지양한 보편적 계기를 모색해야 한다는 점이다. 이것은 '4·3문학'이 지역의 편협한 문학으로 고착되지 않고 성숙한 세계문학의 일원으로 동참하는 길이기도 하다. (…) 그러기 위해서는 분단문학과 민족문학의 거시적 문제틀과 밀접한 관계 아래 '4·3문학'에 대한 비평적 탐구가 절실히 요구된다. 그러면서 또한 변화되는 현실에 기민하게 대응하기 위해서는 기존의 '4·3문학비평'의 주류성(항쟁사 혹은 수난사의 관점에서 인식되는 비평)을 발전적으로 해체해야 한다. 그리하여 '집단학살'과 '생태계 파괴'와 같은 주제론적 측면에 의한 비평적 접근이 심도 있게 펼쳐져야 할 것이다.(「'4·3문학비평'에 대한 비판적 성찰」, 455쪽)

이태 후면 제주 4·3이 60주년을 맞는다. 물론 4·3진상규명운동에 힘입어 특별법이 만들어지고 일정 정도의 진상규명이 가시적인 성과로 나타나고 있으나 앞으로 4·3운동이 지향해야 할 바 또한 만만치가 않다. 우선 경험 세대가 유명을 달리함으로 해서 자라나는 세대들에게 4·3의 교훈을 어떻게 전승시킬 것인가 하는 문제에 대해 현 세대는 결코 자유롭지가 않다.

이러한 관점에서 고명철의 4·3문학 접근법은 다만 문학에 국한된 처방이 아니라 앞으로 4·3운동이 나아가야 할 바를 제시하고 있다고 해도 과언이 아니다. 그뿐만이 아니라 그가 제주 작가들의 4 · 3 작품에 대해 비평한 내용들은 그가 얼마나 제주문학 혹은 제주 4 · 3문학에 애정을 가지고 있으며, 앞으로 제주문학이 어떻게 나아가야 하는지를 곰곰 생각하게 하는 글들이다.

3.

앞에서 필자는 동문수학이라는 표현을 썼다. 고재환 교수와 고명철은 같은 대학에서 같은 과목을 전공한 선후배이기도 하다. 선후배이면서 부자지간인 이들의 관심이 제주에서 출발하고 있다는 점을 우리는 눈여겨볼 만하다. 더군다나 그 둘의 지향점이, 하나는 언어를 통해 민중적 삶을 찾아 나서고 있다면 다른 하나는 그 성과를 바탕으로 외연을 확장시키면서 진정한 민족문학과 세계문학을 내다보고 있다는 점을 우리는 주목해야 한다.

이 책의 서문에 "애비아들이 멩글아낸 책이 제우 이 모냥이라, 쯧쯧…" 하며 혹시 주위로부터 듣게 될 나무람을 염려하고 있는데, 실은 필자가 적이 걱정이 앞선다.

"애비아들이 뭣ㄱ치 맹글아낸 책에 대허영 쓴 글이 제우 이 모냥이라, 쯧쯧…."

2부

●

바다에 스민 기억들

다분히 수사적인 표현일지 모르지만 일찍이 어느 시인은 "스물세 해 동안 나를 키운 건 팔 할이 바람"이었다고 말한다. 그러나 섬에서 나고 섬에서 죽어 섬이 되는 섬사람들, 특히 바람과 온전하게 맞서는 섬사람들을 키운 건 그저 단순한 바람이 아니라 심원을 알 수 없는 바다를 건너온 갯바람이다.

아직도 내 몸에는 비릿한 갯내가 배어 있다. 섬에서 나고 탯줄을 바다에 방생하는 섬사람들끼리는 전혀 의식하지 못하지만 가끔 뭍에 오르거나 섬을 찾은 뭍엣것들과 어울릴 때면 심심치 않게 듣는 소리가 갯내가 난다거나 파도 소리가 들린다는 것이다.

어렸을 적 내가 살던 집은 올레 밖이 바다였다. 애기구덕에 누워 절 우는 소리에 잠이 들었고 절 우는 소리에 잠에서 깨어 절처럼 나도 울었다. 구덕 생활을 마치고 두 발로 걷기 시작하면서 제일 먼저 찾은 곳도 아마 바다가 아니었나 싶다. 바다는 어린 내게 먹을 것을 끊임없이 제공해주는 어머니였고, 사위가 어두워져 집으로 돌아올 때까지 나와 함께 놀아주는 둘도 없는 동무 또한 바다였다. 지금 그 바다는 매립되어 호텔이 들어서고 대형 마트가 들어서고 횟집이 즐비하여 옛 맛이라곤 찾아볼 수 없게 되어 바다에게 부끄럽고 미안한 마음뿐이지만 내 몸 한구석에 몽골반점처럼 혹은 불주사 자국처럼 각인되어 있는 것이 내 유년의 바다이다.

무근성 사람들은 물질을 몰랐다. 물질은 주로 탑아래 혹은 한두기 아주머니나 할머니들의 몫이었다. 중산간에서 시집온 어머니는 당연히 물질을 몰랐고, 어린 나는 물질하는 어머니나 자릿배를 타는 아버지를 둔 동무들에게 꿀릴 수밖에 없었다. 나는 그런 벗들의 산수 숙제를 대신 해주는 대가로 어깨에 잔뜩 힘이 들어간 친구와 함께 자릿배가 들어오는 포구로 가거나 물질을 마치고 돌아올 친구의 어머니를 잠수불턱에서 기다리며 이제나 오카 저제나 오카 불을 피우곤 했다. 그때마다 집으로 돌아오는 내 손에는 된장에 찍어 먹기 맞춤한 자리나 구쟁기 혹은 알이 꽉 찬 구살 몇 개가 들려 있었다. 일터에 나간 어머니가 돌아오기 전 어린 누이와 함께 정재 귀퉁이에 쪼그려 앉아 잔가시에 손가락 찔려 가며 먹던 그 황홀함을 나는 지금도 잊지 못한다.

집안의 가난을 어느 정도 눈치챈 때가 초등학교 2학년 무렵이었다. 파도 소리를 들으면서 잠이 들었는데 잠결에 낮은 목소리로 어머니와 아버지의 말다툼 소리를 들은 것이다. 파도 소리가 유난히 크게 들리던 밤이었다. 그 이후로 나는 저녁상을 물린 다음 혼자 탑아래 바다로 가는 버릇이 생겼다. 아무 생각 없이 바다를 바라보는 것이 좋았다. 아무도 없는, 깜깜한 바다일수록 더욱 좋았다. 물마루에 넘실대는 별빛을 본 것이 아마 그 무렵이었을 거다. 자세히 보니 별들이, 그것도 한두 개가 아니고 뭇별들이 아득한 물마루에서 넘실거리는 게 아닌가? 처음에는 내 눈을 의심했지만 다음 날 그 다음 날에도 그 자리에 있는 별들을 보면서 나는 비로소 별들의 고향이 바다라는 확신을 하게 되었다. 낮에는 보이지 않던 별들이 밤만 되면 컴컴한 하늘에 촘촘히 매달려 있는 것을 보면서 늘 궁금해하던 참이었는데, 아, 그게 바다였구나. 별은 바다에서 나서 바다로 지는구나.

놀라운 발견이었다. 궁금증은 더 큰 궁금증을 불러일으키는 법. 그렇다면 별은 언제 올라가고 언제 바다로 내려오지? 거의

밤을 새다시피 하면서 눈에 진물이 나도록 물마루를 지켜봤지만 별들이 하늘로 올라가는 걸 볼 수 없었다. 다음 날도 별들은 하늘로 올라가지 않았다. 하는 수 없다. 탑아래 사는 내 친구, 아버지가 자릿배를 타는 내 친구에게 물어보는 수밖에.

"뭐? 별? 너 또라이 아니? 그거 갈치 잡젠 배에다 불 켠 거 아냐? 그것도 몰랐나? 으이그, 이 갈치 대가리야!"

졸지에 내 대가리는 갈치 대가리가 되었고, 내 마음의 별은 순식간에 거품처럼 사라지고 말았다. 그러나 나는 지금도 우기고 싶다. 별이었다고. 내가 본 건 갈칫배의 어화(漁火)가 아니라 분명 하늘로 올라가기 위해 물마루에서 꼼지락거리던 별들이었다고 말이다.

날이 풀리면 어둠이 내리기 시작하는 때를 맞춰 내 유년의 탑아래 바다를 한번 다녀와야겠다. 방파제에 앉아 물마루에 반짝이는 별을 보고 있을 나 같은 녀석을 만나면 꼭 들려줘야겠다. 별이라고. 네 마음속에 영원히 간직해야 할 별이라고.

어머니는 어린 나를 데리고 무던히도 넋을 드리러 자주 다녔다. 특히 여름철, 자다가 헛소리를 한다거나 약간의 식은땀만 보이면 어머니는 단호하게 진단을 내리셨다.

"넋 났저. 넋 들이레 가사허켜."

가기 싫어하는 내 팔을 잡아끌고 어머니는 서문시장으로 몰래물로 닥그네로 넋을 들이러 다녔다. 한번은 곤히 자는 나를 모질게 깨우고 어두컴컴한 밤에 알지도 못하는 무덤에 가서 넋을 들인 적도 있었다. 그 무덤가에 저승사자처럼 서 있던 아름드리 소나무들을 생각하면 지금도 소름이 끼친다.

넋 들이러 가면 넋할망은 우선 사주와 동네를 물었다.

"무근성이우다."

"무근성? 야이, 물에 넋 났수다. 넋 들여사 허쿠다."

산에 사는 아이는 산에서 넋 나고 물에 사는 아이는 물에서 넋 나는 게 당연한 이치라 지금 생각하면 헛웃음이 나오지만 어린 나는 어쩌면 저렇게 족집게처럼 맞추는지 그저 신통하기만 했다.

"어마 넋 들라! 어마, 넋 들라!"

온몸으로 날아오는 콩알은 아무것도 아니었다.

"쑤어나라!"

물 한 모금 입에 물고 뿜어대는 물세례는 오히려 나를 정화시키는 듯 했다.

5학년 무렵이었다. 제대로 넋이 나갈 일이 생긴 것이다.

여름방학이면 탑아래 바닷가는 마치 학교를 그대로 옮겨놓은 듯 아이들로 북적댄다. 이웃 동네 아이들과 수영 시합을 하기로 했는데 우리 동네 선수 명단에 내 이름도 끼어 있었던 것이다. 자리가 많이 나는 자리밭까지 왕복하는 경주라 자신이 없었지만 기권을 하면 여름 내내 당할 창피를 생각하니 죽는 한이 있더라도 해야겠다는 오기가 작동한 것이다. 썰물이라 나갈 때는 물살을 타고 힘들이지 않고 갈 수 있었는데 문제는 돌아오는 길이었다. 죽어라고 바동거리는데도 점점 뒤로 밀려나고 있는 게 아닌가. 그래도 남들은 조금씩 앞으로 나아가고 있는데 유독 나만 점점 섬에서 멀어지고 있었던 것이다. 무서웠다. 살려달라고 소리를 질렀다. 결국 우리 동네 아이들은 나를 데리고 오는 바람에 상대편에게 승리를 내주고 말았다. 고개를 들 수 없었다. 나는 그때 원 없이 바닷물을 마셔야 했고, 눈물 섞인 바닷물이 얼마나 짠지 몸소 깨달을 수 있었다.

그 후 며칠 동안 바다에 가지 못했다. 나를 덮치던 물살이 시도 때도 없이 꿈에 나타났고 그때마다 헛소리를 해댔다. 어머니가 혼자 점집에 다녀오시더니 어느 날 새벽 나를 깨우고 탑 아래 그 바닷가로 데리고 갔다. 바람 탕탕 치는 태풍 전야였다.

"어마, 넋들라! 어마, 넋들라!"

바위 위에 간단한 제물이 차려지고, 넋할망이 소리에 맞춰 시렁목으로 나를 정신없이 두드려 패면 어머니는 내 옆에 무릎 꿇고 앉아 먼동이 틀 때까지 두 손 모아 싹싹 빌었다.

"아이고, 분시 어신 아이우다. 큰 넋 들여줍서. 작은 넋 들여줍서."

문청 시절이었다.

그야말로 질풍과 노도의 시절이었다.

무슨 수를 쓰든 제주를 벗어나고 싶었다. 출세를 하고 싶었다. 결국 출세에 실패한 내가 할 수 있는 일이란 제주를 증오하는 일, 제주를 버리지 못한 나를 저주하는 일을 빼곤 아무것도 없었다. 눈에 보이는 것은 모두 내 적이었고 그 누구와도 맞짱을 뜰 준비가 되어 있었다. 수많은 술병들을 쓰러뜨렸고 그때마다 문명에 의해 처녀를 침탈당한 탑동으로 갔다. 속엣것들을 남김없이 바다에 뿌렸다. 내 유년을 기억한 바다는 군소리 없이 내 주정을 받아주었고 나는 그 곁에서 새벽을 맞이하곤 했다. 그러던 어느 날 한 편의 시가 내게 왔다.

누이야, 원래 싸움터였다.

바다가 어둠을 여는 줄로 너는 알았지?

바다가 빛을 켜는 줄로 알고 있었지?

아니다, 처음 어둠이 바다를 열었다 빛이

바다를 열었지, 싸움이었다

어둠이 자그만 빛들을 몰아내면 저 하늘 끝에서 힘찬 빛들이
휘몰아와 어둠을 밀어내는

괴로워 울었다 바다는

괴로움을 삭이면서 끝남이 없는 싸움을 울부짖어 왔다.

문충성 시인의「제주바다 Ⅰ」은 이렇게 시작된다.

충격이었다. 내 유년을 키운 제주 바다가 원래 싸움터였다니! "괴로움을 삭이면서 끝남이 없는 싸움을 울부짖어 왔다"는 표현을 가슴으로 읽으면서 나는 제주의 역사에 관심을 갖게 되었고 바다가 곧 삶의 현장인 내 이웃들이 눈에 들어오기 시작했다.

뜻이 통하는 친구와 의기투합하여 섬을 걷고 또 걸었다. 태풍을 만난 난드르 대평 바다에서 바라본 뒈싸지는 바다를 지금도 잊을 수가 없다. 이장님의 도움으로 마을회관에서 하룻밤을 보내게 되었는데 먹거리를 들고 찾아오신 할머니들, 그 구슬픈 해녀 노래의 가락을 잊을 수가 없다. 하도리 바닷가도 잊을 수가 없다. 달빛 아래 부서지는 바다는 융단을 펼쳐놓은 것처럼 아름다웠다. 바다가 불러주는 웡이자랑에 우리는 잠이 들었다.

나도 바다를 노래하고 싶었다. 바다에 스민 삶과 바다를 스친 상처를 노래하고 싶다고 바다에게 고백했고 바다는 너그럽게 받아주었다. 바다에서 오는 바람이 귀에 들어오기 시작했다. 바다가 들려주는 소리를 그대로 받아 적기 시작했다.

ᄇᆞ름 불곡　　　큰 절 지치걸랑
하늘 같은　　　요왕님아
하해 같은　　　요왕님아

쓸쓸 달래엉　　펜안케 허여줍서
명주 바당　　멘들아줍서
배운 것도　　어신 것덜이우다
아는 것도　　어신 것덜이우다
날 볽으민　　밭에 가곡
허리 ᄒᆞᆫ번 패왕　　물에 드는
분시 모르는　　어진 것덜이우다
ᄒᆞ루 삼시　　먹기 어려왕
비 오나 눈 오나　　물질허는 것덜이우다
설운 것덜이우다　　칭원헌 것덜이우다

—졸시,「숨비소리」부분

나를 키운 유년의 탑아래 바다를 떠나온 지 20여 년이 지났다. 그때의 아버지보다 훌쩍 나이를 먹어버린 것이다. 지금 나는 '별도(別刀)'라는 아름다운 이름을 간직한 화북포구에 서 있다. 이쪽으로 삶터를 옮긴 지도 십여 년이 지났다. 말벗이 그리울 때마다 나는 포구로 간다. 변함없는 자세로 나를 기다려주는 고마운 벗, 붉은 등대를 만나기 위해서다.

사람이 머문 자리엔 늘 그랬듯이 흔적을 남긴다. 크고 작은 건물들이 들어차서 자세히 들여다보지 않으면 등대는 존재조차 없어 보인다. 밤이 되면 건물의 네온사인이 더 밝은 탓에 등대를 찾기에는 아무리 두 눈을 부릅떠도 별 소용이 없다. 그래도 등대는 지금까지 그래왔던 것처럼 바다를 향해 서 있다.

가슴 깊숙한 곳에 빨간 등불 하나 켜놓지 않은 사람은 등대를 보았다거나 등대의 마음을 안다고 함부로 말해선 안 된다 어둠이 내려앉은 화북 바닷가 방파제 끝에 서면 항상 가슴 뜨거운 등불 하나 수줍게 서 있는데 어떤 사람은 갯바람 소리에 귀 기울이며 추레하게 늙어가는 그를 보면서 언뜻 스쳐간 사랑을 떠올릴 것이고 또 어떤 사람은 내뿜는 담배 연기만큼이나 아름다운 그러나 속절없는 옛사랑을 묵은 수첩 뒤지듯 들춰내겠지만 등대가 서 있는 그 자리에 서서 등대의 눈을 가져보지 않고서는 아무리 기다려도 오지 않는 애타는 간절함이랄까 지독한 그리움에 대해 함부로 안다고 말해선 안 된다 바람이 불어도 시간은 흐르고 눈비가 와도 구름은 흘러 등대머리엔 하얀 서리가 내리고 하염없이 찰랑이는 바닷소리에 귀멀고 수평선 언저리에 걸린 집어등에 눈이 어둡고 불쑥불쑥 솟아오르는 바닷가 아파트 불빛에 키는 점점 작아져 더는 멀리 내다볼 수 없지만 등대의 눈을 가져본 사람은 닳고 닳은 비석처럼 서 있는 저 등대의 마음을 절절하게 알고 있으니 귀가 멀수록 사랑은 가까워지고 눈이 어두울수록 마음은 환하게 밝아진다는 것을 그리고 작아지면 작아질수록 생각은 점점 깊어진다는 것을 그

래서 등대는 언젠가 소복이 눈 덮인 물살 위를 삐걱거리며 돌
아올 어쩌면 영영 돌아오지 못할 늙은 옛사랑을 위해 이 밤도
졸음에 겨워 가물거리는 눈을 비비고 비비며 기다림을 배우고
있는 것이다

—졸시, 「등대」 전문

등대 아랫도리에 누군가 써놓고 간 '사랑해!'라는 말이 가슴에 스민다. 연인끼리 찾아와 남기고 간 흔적인지, 잃어버린 사랑에 대한 애틋함인지 모르겠지만 나는 등대가 내게 속삭이는 소리로 받아들이고 싶다. 등대의 이마에 손을 댄다. 참 따뜻하다.

지천명에 이를 때까지 나를 키워준 바다에게 작별 인사를 하고 돌아선다. 내일 다시 오겠다는 말도 잊지 않는다.

●

추억 속의
무근성을 만나다

시간 속으로 스미다

손톱으로 '톡' 튕기면 '쨍' 하고 금이 갈 듯하다고 푸른 하늘을 묘사한 시인이 있었다. 오늘이 바로 그런 날이다. 굳이 손톱으로 튕기지 않아도, 눈만 한번 깜빡거려도 파란 사금파리가 와르르르 쏟아질 것 같은 가을 하늘이다.

대체 어쩌자고 하늘은 이리도 맑은 건지, 아무런 대책 없이 내 유년이 고스란히 스며 있는 무근성으로 간다. 돌아보니 무근성을 벗어난 지도 꽤나 시간이 흘렀다. 그래도 내 생의 절반을 그곳에 두고 왔으니 눈길 가는 곳마다 예사롭지 않은 곳이 없다.

그곳에서 나온 지 어느덧 강산이 세 번이나 변했으니 상전이 벽해가 되는 것도 무리는 아니다 싶지만 허전한 마음은 감출 수가 없다. 사람이 다니던 길은 이미 찻길에 내준 지 오래고, 늙수그레한 어르신들이 쉬엄쉬엄 눈에 띌 뿐이다. 고만고만하던 올레도 자취를 감추었다. 올레 초입에 늠름하게 가부좌를 틀고 앉아 동네 어르신들의 말벗이 되어주고 조무래기들의 놀이터가 되어주던 폭낭도 온데간데없다.

삶의 속도를 잠시 내려놓고 혼자 시간을 거슬러 올라가는 일이란, 아무도 몰래 오래된 일기장을 들추는 일처럼 아련하면서도 소소한 떨림이 있어서 좋다. 지나간 시간 속으로 스미는 일, 오늘 나는 이 한 가지만으로도 넉넉해지리라.

평화빵집 그리고 내 사랑 버렝이깍

서문다리에서 동한두기를 따라 탑동으로 내려가는 길을 택한다.

서문다리 아래쪽 샘물이 솟아 여름이면 바다에서 멱을 감던 조무래기들이 몸을 씻고 아주머니들은 빨랫감을 들고 와 수다를 떨며 떠들썩하게 빨랫방망이를 두들기던 선반물은 모두 복

개해버려 지금은 여기가 내천이었다는 흔적을 찾아볼 수 없다.

맞다. 초입 오른쪽에 평화빵집이 있었지. 호주머니가 늘 가난하던 어린 시절, 학교를 파하고 친구들과 어울려 집으로 돌아오는 길, 우리는 어김없이 빵집 쇼윈도 앞에 늘어서 빵 굽는 냄새에 시간 가는 줄 몰랐다. 그 냄새만으로도 우린 지금 굽는 빵이 찐빵인지 소보로빵인지 앙꼬빵인지 크림빵인지 알아맞힐 정도로 '개코'였다. 어디 그뿐인가. 진열대의 빵을 하나하나 가리키면서 그 빵을 맛보던 추억담에 침을 질질 흘리곤 했다.

친구 중에 바가지라는 녀석이 있었다.

무성영화 시절 변사보다 더 변사다운 녀석이다. 그 녀석이 영화를 한 편 보고 온 날이면 우린 그 녀석 앞에 쪼그리고 앉아 그 녀석의 성대모사와 날렵한 액션으로 시간 가는 줄 몰랐다. 그는 당시 악역 담당인 독고성이나 허장강보다 주인공 역인 장동휘와 박노식 그리고 황해를 무지 좋아했다. 어디 그뿐인가. 그 녀석이 크림빵 먹은 얘기를 하면 우리 입가에도 어느새 달달하고 부드러운 크림이 질질 흘러내리곤 했다.

버렝이깍으로 간다.

한두기와 바다가 만나는 곳, 라마다호텔을 끼고 안쪽으로 들어온 바다가 바로 거기다. 지금은 바다의 양쪽 해안에서 옛 정취를 찾아볼 수가 없다. 나는 여기서 물에 뜨는 법을 배웠다.

초등학교 2학년 때다. 여름방학을 맞아 아이들과 버렝이깍으로 간다. 옷을 멘들락 벗고 먹돌 트멍에 잘 보관한 다음 어머니 몰래 집에서 가지고 온 양은 세숫대야를 잡고 조심스레 물에 들어간다. 정신없이 두 발을 놀려댄다. 놀라운 일이 벌어지고 만다. 가라앉지도 않고 몸이 앞으로 나아가는 것이다!

이렇게 발을 놀려대면 몸이 뜨고 앞으로 나아가는구나. 연습에 연습을 거듭한 결과 나는 세숫대야 없이도 몸을 물 위에 띄울 수 있었다. 놀라운 발견이었다.

서쪽 해안가, 우리는 거기를 서창이라 불렀다. 수영을 잘하는 벗들 틈에 끼어 서창까지 가는데 성공한 것이다. 서창은 처음 가보는 곳이다. 혼자 못 가는 내가 안타까웠고 자유롭게 왕래하는 동무들이 늘 부러웠는데 이제 나도 서창을 다닐 수 있게 된 것이다.

일취월장이라고 해야 하나. 늦게 배운 도둑질에 시간 가는 줄 모른다고 그 후로 나는 틈만 나면 바다로 갔다. 혼자도 무섭지 않았다. 물속으로 잠수하여 돌멩이를 들고 올라오는 일, 포구에 세워진 자릿배의 밑창을 통과하는 일 등 갯것으로 사는 놈들이 갖추어야 할 기초적인 소양을 차근차근 쌓아나갈 수 있었다.

지금은 옛 모습을 잃어버렸고 나 또한 바다에 몸을 담그는 일보다 바다를 바라보면서 한잔하는 일에 익숙한 나이가 되어버렸지만 버렝이깍은 내 생애에 한 획을 그은 은혜로운 곳임에 틀림이 없다.

무근성에 가면 지금도 옛날이 있다

무근성 장 공장 골목으로 간다.

간장 공장이 있어 장 공장 골목이다. 거기에 우리 집이 있다. 삼도2동 1174~1175번지. 마당 넓은 집이 바로 거기다. 나는 결혼을 하고 그 집을 나왔지만 부모님은 몇 년 전까지 그 집을 지키셨다. 이런저런 문제로 그 집이 넘어가게 되고 부득이 부모님께서는 딴 곳으로 집을 옮겨야 했다. 무근성을 벗어날 수밖에 없었던 부모님께서는 늘 그 집을 그리워하셨다.

지금 무근성 집은 빈집이다.

그 후로는 무근성에 갈 일도 없었지만 가기도 싫었다. 어릴 적 친구들은 너나없이 무근성을 떠났다. 나처럼 결혼을 하면서 옮긴 경우도 많지만 가족들이 집을 팔고 옮긴 경우도 허다했다. 팔린 자리에는 옛집 대신 새 집이 들어섰다. 추억도 동시에 사라지고 만 것이다.

골목 입구에 선다. 이상하다. 왜 이리도 골목이 비좁은가? 어린 시절 우리는 이 골목에서 자그마한 공으로 편을 갈라 축구도 하고 곱을락이며 팽이치기를 하면서 시간 가는 줄 모르게 놀았던 골목이었지 않은가. 담장도 키를 훨씬 넘길 만큼 높직했는데 이제 보니 눈 아래다. 골목의 폭도 세 발치가 되지 못한다. 차량 한 대도 다닐 수 없는 골목이었다니. 객지를 떠돌다 삼십 년 만에 돌아와 병든 아버지 앞에 슬그머니 선 기분이다. 골목 입구 오른쪽엔 삐쭉이네가 살았는데 지금은 2층 슬레이트 집으로 바뀌었다. 그때는 기와지붕 중간에 창을 낸, 그 당시엔 정말 보기 드문 집이었는데 시간이 그렇게 모든 걸 바꿔놓은 것이다.

한 가지 반가운 것도 있다. 대문 옆에 점방은 옛날 그대로다. 물론 지금은 '슈퍼'라는 간판을 보란 듯이 달고 있지만 그때만 해도 그냥 간판 없는 점방이었다. 과자 나부랭이를 팔고 막걸리를 팔았다. 아버지는 내게 종종 막걸리 심부름을 시키셨다. 빈 주전자를 들고 막걸리를 받으러 갔다. 이 집 막걸리가 떨어지면 서가축병원 지나 방앗간 골목까지 가서야 막걸리를 받아올 수 있었다. 그 아래가 졸보네 집이었는데 큼지막한 새 집이 그 자리를 지키고 있다. 졸보네 집으로 가려면 골목에서 작은 올레를 다시 지나야 한다. 그 집에는 우물이 있다. 참 시원한 물이었다. 동무들끼리 우르르 몰려다니다가 갈증을 느끼면 우리는 그 집 우물을 뒤집어쓰곤 했다. 그때마다 졸보 어머니는 "물 언치커. 놀멍놀멍 먹으라"고 타이르셨다.

다시 몇 걸음 옮긴다.

윤 할망네 집이다. 많이 변했지만 그나마 옛 모습을 간직하고 있어 너무 고맙고 반갑다. 마당을 가운데 두고 여러 살림이 어우러지던 집이다. 윤 할망은 가끔 난간에 앉아 계셨다.

골목에서 '오니다섯개'를 하며 놀다가 그 집으로 숨어 들어가면 할머니는 난간에 앉아 계시다가 뒤따라온 오니에게 일일이 손가락질하며 "저디 곱았져!", "저디도 곱았져!" 하면서 다 얘기해버리는 바람에 숨어 있던 우리는 할머니를 실컷 원망하면서 '에이 씨, 다신 윤 할망네 집에 곱지 말아야지…' 다짐했지만 그 집 말고는 마땅히 곱을 집이 없었다.

그 아랫집이 선수네 집이다.

초가집이 양옥집으로 바뀌었을 뿐 옛날 구도를 그대로 가지고 있다. 선수네 집, 하면 떠오르는 추억이 있다. 구렁이다.

어느 날, 조무래기들이 모여 골목에서 놀고 있는데 선수네 집에 이따만 한 구렁이가 나왔다고 외자기는 바람에 우르르 몰려갔다. 지붕에서 떨어진 구렁이가 땅바닥에 똬리를 틀고 있는데 놀랍게도 쥐를 물고 있었다. 쥐의 대가리는 이미 뱀의 아가리에 들어가 있고 몸통 뒤쪽과 꼬리가 구렁이의 입 밖으로 늘어져 있었다. 우리는 구렁이를 둘러싸고는 모두 숨을 죽인 채 신기하고 흥미진진한 광경을 하나하나 놓치지 않고 기억에 담아두었다. 만찬을 마친 구렁이는 그야말로 '구렁이 담 넘어가듯' 텃밭을 지나 담 구멍으로 행적을 감추었고, 정지에서 나온 선수네 할머니는 구렁이가 머물렀던 자리에 굵은 소금을 뿌림으로써 동물의 왕국 구렁이 시리즈는 마침내 끝이 났다.

그 앞쪽이 축구를 잘하던 펠레 형네 집이다.

정확히 얘기하면, 집이 있었던 자리다. 지금은 다세대 건물이 그 자리를 채우고 있다. 어른들은 펠레 형네 집을 초깃집이라고 불렀다. 나중에야 안 사실이지만 형네는 버섯을 재배하고 있었다. 내 기억이 틀리지 않다면 우리 골목에서 텔레비전을 제일 먼저 들여놓은 집이 펠레 형네 집이다. 그 추론의 근거는 이렇다. 원래 우리의 골목대장은 그 형이 아니었다. 그런데 그 집이 텔레비전을 들여놓으면서 우리 골목의 권력 구도에 변화가 생긴 것이다. 당시까지 골목대장이던 형이 펠레 형에게 잘 보이기 시작한 것이다.

그 무렵만 해도 오후 5시가 넘어야 텔레비전 방송이 나왔는데 형한테 잘 보여야 그 집으로 들어갈 수 있었고 좋은 자리에 앉아 애국가가 울려 퍼질 때까지 진득하게 관람할 수 있었다. 그러니까 우리의 골목대장은 텔레비전 시청권과 자신의 권력을 빅딜한 것이라고 나는 확신한다.

아무튼 줄서기는 하루하루 피를 말리는 일이었다. 조금이라도 밉보이면 인생 '종 치는' 날이다. 대문 앞에 있다가 "넌, 들어오지 마!" 하면 차라리 오늘이 지구의 종말이기를 빌었다. 펠레 형으로부터 "너, 통과!" 이 말을 듣기 위해 우리는 얼마나 눈물겨운 하루하루를 기도하는 마음으로 보냈던가. 형이 나를 잘 봐주었는지 다행스럽게도 나는 쉽게 대문을 통과할 수 있었고 덕분에 나는 펠레가 브라질 축구선수였다는 걸 눈으로 확인할 수 있었다. 하지만 브라질 유니폼이 노란색이었다는 건 한참 후에야 알 수 있었다. 그땐 '흑백 테레비' 시절이었다.

또 한 가지 기억에 남는 일은 우리 집에 텔레비전을 들여놓았을 때는, 아무도 우리 집에 오지 않았고 올 필요도 없었다는 슬픈 사실이다. 이미 집집마다 높직하게 텔레비전 안테나가 들어선 후였으니까.

바로 아랫집이 몰래물 할망네 집이다.

그러니까 우리 집과는 담 하나를 사이에 두고 있다. 할머니를 생각하면 지금도 눈앞이 그윽해진다. 그 무렵 노인들이 다 그렇지만 할머니는 유독 부지런하셨다. 우리 집 사이에 있는 담장 아래 호박을 심었는지 줄기가 담장을 넘어와 우리 집 쪽으로 호박이 어린아이 엉덩이처럼 탄실하게 열렸다. 그 무렵만 해도 골목에 엿장수가 오면 쇠돈이 없는 우리들은 평소에 모아두었던 깨진 요강 단지며 헌 고무신 등 엿이 될 만한 것들을 모았다가 바꾸어 먹기 일쑤였다. 호박을 보자 불현듯 엿이 생각난 것이다. 담으로 넘어왔으니까 이 호박은 할망네 호박이 아니라 우리 호박이다. 그런데 우리 집에서 심은 것도 아니기 때문에 우리 부모님도 자기 소유라고 우길 수 없다. 그러므로 저 호박은 내 것이다,라는 삼단논법에 의한 깔끔한 결론을 내린 후 호박을 따서 나만의 보금자리에 숨겨두었다.

사단이 일어난 건 다음 날이었다.

학교를 마치고 집에 들어서는데 할머니가 우리 집에 오셔서 호박의 행방을 묻고 있는 것이다. 어머니는 모르는 일이라고 하고 할머니는 분명히 어제까지 저기 매달려 있었다고 주거니 받거니 하다가 내가 들어서자 대뜸 어머니가 저기 담장에 호박 봤냐고 묻는데 나는 엉겁결에 안 봤다고, 내가 호박 따서 뭐 하냐고 시치미를 떼고 만 것이다.

죄짓고는 못 사는 법. 그날 저녁 나는 어머니께 이실직고하지 않을 수 없었다. 어머니는 타박을 주는 대신 나를 앞장세워 할머니네 집으로 갔다. 물론 내 손에는 호박이 들려 있었다. 할머니께서도 크게 타박을 주지 않으시고, 어린아이가 그럴 수도 있는 거라고, 다신 그러지 마라는 말로 사건이 마무리가 되었는데 며칠이 지나 저녁 무렵에 그 할머니가 우리 집에 엿을 가지고 오신 것이다. 사연인 즉 할머니는 호박을 지고 서문시장에 가서 그것을 팔아 그 돈으로 엿을 사 오신 것이었다. 그날, 어린 나는 엿을 먹은 게 아니라 눈시울이 뜨거워지도록 다디단 몰래물 할망의 사랑을 먹은 것이다.

이제 우리 집이다.

내가 들어선 골목에 위치한 대문은 잠긴 지 오래다. 앞마당

쪽으로 신작로가 나면서 대문을 옮긴 것이다. 안채에 붙어 있는 슬래브 집이 추레하다. 원래는 창고였다가, 그 다음에는 닭장이었다가 세를 놓아 돈푼이라도 버는 게 낫겠다는 심산으로 방 두 개짜리 집을 만든 곳이 거기다. 창고였던 시절, 그곳에서 나는 지금도 생생하게 떠오르는 아픈 추억 하나를 만들었는데 아마도 초등학교 2학년 여름방학이 아니었나 싶다.

개학을 일주일 정도 앞둔 무렵이었는데 조반상을 물리고 나는 방에서 밀린 방학 숙제를 하고 있었다. 이걸 빨리해야 바다로 갈 수 있기 때문이다. 밖에서 나지막하게 부르는 소리가 들린다. 그때 누가 나를 불렀는지 가물가물하다. 돗줄레일 수도 있고 돌붕어일 수도 있고 빠루일 수도 있다. 며칠 전에 아버지께서 창고 서까래에 그네를 묶었는데 그걸 타자는 것이다. 눈치를 보니 어머니는 우물가에서 무언가를 하고 계셨다. 창고로 갔다. 그 친구가 타기 전에 내가 시범을 보일 겸 그네를 타기 시작했다. 그네를 타려면 그 친구는 당연히 내가 탄 그네를 힘껏 밀어야 한다. 광한루에서 춘향이가 타던 그네가 부럽지 않다. 이렇게 오르면 슬래브를 뚫고 하늘로 갈 수 있을 것 같았다.

그 순간이었다.

자끈동! 밧줄이 끊어지면서 창고 지붕 가까이 올랐던 나는 이런저런 잡동사니가 무더기로 놓여 있는 구석진 곳으로 냅다 꽂히고 말았다. 순간 창고가 무너지는 줄 알았다. 우선 겁부터

났다. 그런데 둘러보니 창고는 그대로였다. 그럼 됐다, 하고 일어서려는데 몸을 움직일 수가 없었다. 어, 왜 이러지? 다시 일어서려는데 몸이 말을 듣지 않았다. 친구를 불렀다.

"야, 손 좀 잡아주라."

그 친구, 와서 손을 잡으려다가 내 등쪽을 물끄러미 보더니만 뒤로 물러서며,

"아이고, 아이고. 너 등에 못 박현! 완전 큰못!"

"게믄 못 빼봐봐."

그 친구 와서 이렇게 보더니,

"낭허고 못 허고 완전 꽉 박혀 부난 어떵 허지 못 허커라. 아맹해도 너네 어멍신디 고라사허켕게."

언젠가 오래된 장의자를 수리하기 위해 창고 한 편에 세워두었던 것인데 그 못에 제대로 박힌 것이다. 나무와 내 등이 못으로 연결되어 있다니! 자락 겁이 났다. 이러다가 죽을 수도 있다. 어쩔 수 없이 어머니를 울면서 불렀다. "어무니!" 어머니가 와서 보곤 질겁을 하고 아버지를 불렀다.

아버지는 역시 아버지셨다. "고만시라. 호끔만 촘으라." 톱을 들고 오시더니 내 몸에 못으로 연결된 장의자 나무를 자르는 것이었다. 그리고 나는 등허리에 못이 박힌 채 엉거주춤한 자세로 병원으로 옮겨졌고 수술 끝에 못을 뺄 수 있었다.

3밀리만 더 들어갔어도 꼽추가 되었을 거란 말을 나는 병원

에서는 물론 퇴원 후에도 귀에 못이 박히도록 들어야 했다. 해가 바뀌어 다시 여름이 돌아와 바다에 갔을 때 나는 동무들로부터 앞뒤로 배또롱이 두 개 있는 아이라는 놀림을 받아야 했고 지금도 등에 붙은 배또롱의 흔적은 아련하게 남아 있다.

부디 건강하라, 무근성

우리 집에 있는 우물에 얽힌 이야기는 하지 않기로 한다.

입이 근질거릴 만큼 하고 싶지만 우물과 나 사이 둘만의 비밀에 부치기로 한 이상 나는 그 약속을 지키는 게 우물에 대한 예의라고 생각한다. 물론 그 우물은 지금 우물로서의 수명을 다한, 언제부터인지 물이 말라 더는 물이 없는 죽은 우물이다. 그가 한창 찰랑거리며 우리 식구뿐만 아니라 동네 사람들을 불러 모으던 그 무렵, 그와 나 사이에 비밀이 생겼던 것인데 그의 죽음에 대해 내가 애도를 표할 수 있는 유일한 방법은 그와 나 사이의 약속을 지키는 것이 아닐까 한다.

뉘엿뉘엿 해가 지고 있다.

이제 무근성을 떠날 시간이다. 내가 살았던 집이, 골목이, 그리고 그때 벌거숭이로 뛰놀았던 그리운 동무들이 보고 싶고 미안하고 고맙다.

잘 있어라, 무근성.

부디 건강하라, 무근성.

●

무언가
아슴하게 보이는 날들을
위하여

장면 하나

청소년 시절 그러니까 중학교에서 고등학교로 이어지는 시절은 나에게 참 견디기 어려운 시절이었다. 가난 때문이었다. 어머니는 가족의 생계를 위해 일본으로 밀항을 시도하다 일본 오무라 수용소에 수감된 적이 있었고, 일정한 벌이가 없던 아버지는 그럭저럭 빚을 내면서 지내던 시절이었다. 말수가 적어졌고 학교에서 돌아오면 대부분의 시간을 하릴없이 바닷가에서 보내곤 했다. 그 무렵 나는 이 지긋지긋한 가난에서 벗어나는 길은 고등학교만 마치면 섬을 벗어나야 한다는 생각뿐이었다. 결국 육지에 있는 대학 진학에 실패하고 고향에 있는 대학을 다니게 되었는데, 이른바 출세의 꿈을 이루지 못한 나는 방바닥에 뒹굴면서 닥치는 대로 책을 읽다가 어스름이 깔리면 밤고양이처럼 집 밖으로 나와 공술을 얻어 마시고 비틀거리면서 집으로 돌아오는 날들의 연속이었다.

입학한 지 한 달이 지날 즈음이었는데 신입생 환영회가 있으니 참석하라는 연락을 받고 공술이나 얻어먹자는 심사로 나갔다. 그 무렵 환영회라는 것이 대개가 중국집에서 짬뽕 국물이나 춘장을 안주 삼아 짜장면 한 그릇이면 감지덕지하던 시절이었다. 사람보다는 술이 좋아 한구석을 차지하고 앉아 술잔을 비우고 있는데 고등학교 선배라는 분이 내게 다가와 술잔과 함께 한마디 건네는 것이 아닌가.

"네가 이 학교를 계속해서 다니려면 두 가지를 명심해야 한다. 하나는 대한민국에서 제일 싼 회비를 내고 다닌다는 것, 다른 하나는 다름 아닌 네가 다니고 있다는 것."

술기운이 차올랐는데도 이상하게 그 말이 잊히지 않았다. '내가 제일 값싸게 대학을 다니고 있다면 그 나머지는 누가 대신 내고 있는 건 아닐까? 그게 혹시 이 섬사람들은 아닐까?' 이런 생각들이 꼬리를 물면서 호주머니에 돈이 생길 때마다 시외버스를 타고 무작정 섬의 구석구석을 찾아다니게 되었다.

고등학교 때까지 시내를 벗어날 일이 별로 없었던 나로서는 내 앞의 펼쳐진 섬의 풍광에 매료될 수밖에 없었다. 마을을 지키는 아름드리 팽나무 아래서 만난 촌로들과 네 홉들이 소주를 가운데 놓고 농사짓는 이야기며 마을 이야기를 들을 때도 있었고, 어떤 날은 요란한 풍물 소리에 이끌려 가보면 거기엔 어김없이 굿판이 벌어지고 있었다. 바다로 나가면 불턱에서 만난 물질하는 할머니들과 마주 앉아, 물질하면서 겪었던 숨 막히는 체험담을 생생하게 들을 수 있었다.

그런데 유독 어느 지점에 가면 이야기를 하다 말고 입을 꾹 다물어버리곤 했다. 알 필요 없다고 손사래 치면서 먼산바라기만 하다가 말꼬리를 다른 데로 돌리는 것이었다. 그 지점에 4·3이 있다는 것을 아는 데는 그리 오랜 시간이 걸리지 않았다.

장면 둘

4·3과 맞대면하게 된 계기는 1980년에 소설가 현기영 선생의 「순이 삼촌」과 만나면서였다. 그 무렵, 나에게 문학 혹은 예술에 대해서, 그리고 섬과 삶에 대해서 커다란 영향을 끼친 두 분을 알게 되었는데 한 분이 현기영 선생이고 다른 한 분이 소설가 황석영 선생이다. 현기영 선생은 나에게 섬에 드리워진

상처를 일깨워주신 분이고 황석영 선생은 마당극 판 광대로서의 예술 세계를 알게 해주신 분이다.

황석영 선생은, 광주 5 · 18 직후에 몸을 피해 제주에 내려오면서 만나게 되었는데 그 자리에는 문무병 형, 김상철 형, 그림 그리는 오석훈 형 등이 늘 함께했다. 그들과 만나면서 프란츠 파농의 『자기 땅에서 유배당한 자들』을 알게 되었고, 제주 섬사람들이 원주민으로 전락할지도 모른다는 위기의식과 이를 알리기 위한 공연물을 준비하면서 극단 '수눌음'을 만들고, 처음으로 문화운동에 발을 들여놓게 되었다.

처음에는 배우로 활동했으나 연기력에 한계를 느낀 후에는 대본 작업을 주로 하게 되었는데 그 와중에 간간이 시를 쓰게 되었고 운 좋게도 1982년 『실천문학』에 시를 발표하면서 문단의 말석에 이름을 올리게 되었다.

비록 등단은 했지만 시 쓰기보다는 마당극판에서 주로 놀았다. 시를 써도 발표할 지면이 절대적으로 부족한 형편이기도 했지만 대중들과 직접 맞대면하는 마당극판이 너무 좋았다. 극단 '수눌음'이 당시 첨예한 시국 문제를 정면으로 다루었다는 이유로 강제 해산되고 어떻게든 그 명맥을 유지하기 위해 노력하다가 1987년 6월항쟁 이후 극단 '한라산'을 만들게 되었는데 지금도 나는 '한라산' 회원의 한 사람으로서 그 주변을 서성이고 있다.

장면 셋

1984년 무사히(?) 대학을 졸업하고 교직에 발을 들여놓게 되었는데 나의 대학 생활을 노심초사 지켜보시던 어머님이 제일 기뻐하셨던 것 같다. 학창 시절, 한번 집을 나가면 며칠 동안 연락이 없는 건 물론이고, 이따금씩 나의 행방을 염탐하기 위해 집을 찾아온 기관원들로부터 자식이 집에 오면 연락을 달라는 말을 들어야 했던 어미의 심정은 오죽했을까.

1987년 6월항쟁으로 유화 국면을 맞게 되면서 흩어졌던 딴따라들을 규합하는 작업에 들어가 '제주문화운동협의회'를 결성하고 활동했다. 그 무렵 교사이기도 했던 나는 뜻을 같이하는 교사들과 함께 교육운동체를 만드는 데 뜻을 같이하고 부지런히 발품을 판 결과 '전국교직원노동조합 제주지부'가 결성되었지만 전교조를 만들었다는 이유로 학교에서 쫓겨났다. 교사가 된 지 5년만이었다. "하고 많은 선생 중에 왜 하필이면 네가 쫓겨나야 하느냐?"면서 그 밤에 온 동네를 돌면서 전교조 합법화 서명 용지를 가득 채워 오신 어머님을 생각하면 지금도 명치끝이 아려온다.

해직 기간은 나에게 많은 시련도 주었지만 돌이켜보면 나에게 주어진 또 하나의 기회였다. 전교조 해직 동지들에게는 미안한 얘기지만 나는 해직 기간에도 교육운동보다는 문화운동에 전념하며 지냈다. 학교에서 쫓겨나던 해, 처음으로 4 · 3항쟁을 정면으로 다룬 마당굿 〈사월굿 한라산〉을 공연했는데, 돌아온 결과는 놀이패 '한라산' 단원 모두가 공안 기관에 불려가 조사를 받은 것이고 교직에 있던 나 또한 예외일 수 없었다.

해직 5년 만에 다시 학교로 돌아왔다. 안타깝게도 달라진 게 하나도 없었다. 학교생활이 재미가 없었다. 어머니는 내 손을 잡고 무슨 일이 있어도 끝까지 학교에 남아야 한다고 신신당부를 했지만 바깥바람 맛을 들인 나로서는 참 견디기 어려운 시간이었다. 그 무렵 나는 뜻을 같이하는 선후배들과 함께 새로운 문화운동체를 만들기 위한 궁리를 하고 있었는데 그게 바로 '한국민족예술인총연합 제주도지회'의 결성이다.

장면 넷

1994년 2월 제주민예총을 창립했다. 1980년 극단 '수눌음'을 만들었을 때의 감격이 되살아난 것이다. 학교에 복직을 한 후에도 나는 제주민예총이 있어 버틸 수 있었다. 퇴근을 하면 일이 있건 없건 민예총 사무실로 달려갔고, 거기 가면 그리운 얼굴들이 언제나 반겨주었다. 우리는 약속이나 한 듯이 주변 술집으로 자리를 옮겨 날밤이 새도록 세상 돌아가는 꼬라지에 대해, 소위 민족민중예술에 대해 침 튀기면서 격론을 벌였다. 이긴 자도 없었고 진 자도 없었다. 다만 속이 무지하게 쓰렸을 뿐이다.

시를 본격적으로 써야겠다고 다짐한 것이 이즈음이다. 지금 시를 쓰지 못하면 영원히 시를 접어야 한다는 생각이 들었다. 기존의 시편들이 소위 운동성을 전제로 한 '거리의 시' 혹은 '현장의 시'가 대부분이었다면 이제는 운동성만이 아니라 그야말로 문학작품으로 다른 시인들과 어깨를 나란히 할 수 있어야 한다는 어떤 절박함이 밀려왔다. 그러기 위해서는 이미 발표한 시를 한데 묶어 '나'를 떠나보내야 하는 통과의례가 필요하다는 생각이 들었다. 여기저기 흩어진 시편들을 한데 모으는 일은 여간 어려운 일이 아니었다. 대충 모아놓고 당시 출판 기획을 하고 있던, 그림 그리는 박경훈에게 원고를 보이니 고맙게도 선뜻 받아주어 첫 시집 『어디에 선들 어떠랴』(파피루스)가 세상 밖으로 나올 수 있었다.

그 이후 『신호등 쓰러진 길 위에서』(실천문학사), 『바람의 목례』(애지) 등 여섯 권의 시집과 『김수열의 책 읽기』(각), 『섯마파람 부는 날이면』(삶이보이는창) 등 두 권의 산문집을 세상에 내놓았지만 가장 아끼는 한 권을 꼽으라면 망설임 없이 『어디에 선들 어떠랴』를 꼽는 데 주저함이 없다. 물론 열 손가락 깨물어 안 아픈 손가락이 어디 있을까마는, 『어디에 선들 어떠랴』

에는 등단작에서부터 해직 기간의 민주화운동, 그리고 복직 이후 가장 힘들고 방황하던 시절을 고스란히 담고 있어서 더욱 애정이 가는 것 같다. 다른 사람에게 보이기에는 거칠고 투박한 면이 없진 않지만 그 시집에는 그 무렵 운동을 하면서 한뎃잠을 자던 동지들의 퀴퀴한 발꼬랑내가 그대로 배어 있고 부르틀 대로 부르튼 라면발을 조금이라도 더 건져내려는 치열한 젓가락질이 눈에 선하기 때문이다.

장면 다섯

돌아보니 지천명이다.

하지만 아직도 나는 천명의 발꿈치에도 가 닿지 못한 것 같다. 하는 일마다 서툴고 일을 마치고 돌아서면 후회막급한 일이 한둘이 아니다. 그럼에도 불구하고 나를 지금껏 있게 한 것은 내 주변의 좋은 사람들 덕이다. 남들보다 머리통 하나는 더 커서 늘 휘청거렸지만 벗들은 그런 나를 팽개침 없이 술자리로 불러주었고 끊임없이 반복되는, 말도 안 되는 술주정을 너그럽게 받아주었다. 그런 벗들이 있어 나는 무사히 제주민예총 지회장을 연임까지 하면서 마칠 수 있었고 나이 지긋한 작가들에게나 돌아갔음직한 이런 글도 쓰게 되었다. 한편으론 송구하고 한편으론 영 낯설다. 나는 아직도 젊은데 말이다.

누군가로부터 들은 이야기인데 나이 오십이 넘으면 나이를 말하지 않고 그냥 출생 연도를 말한다고 한다. 그게 그거지만 왠지 나도 그래야겠다. '나이 오십'보다는 '59년생'이라고 말하는 것이, 해마다 바뀌는 나이를 부질없이 계산해야 하는 불편함도 없고, 또 한 가지는 나이를 묻는 상대방으로 하여금 순간적으로 나이를 셈해야 하는 난감함에 셈을 중도에 포기할지도 모른다는 일말의 기대 때문이다. 그보다 더 중요한 것은 서로 나이를 묻지 말았으면 좋겠다. 나이란 숫자에 불과하다 하지 않는가.

횡설수설 그만하고 다시 돌아와야겠다. 금년 들어 제일 많이 듣는 말 중에 하나가 "민예총 지회장을 그만두었으니 이젠 글 많이 쓰겠네?" 하는 소리다. 나로서는 이만저만 듣기 거북한 말이 아니다. 민예총을 맡아 바빠서 글을 못 쓴 게 아니라 시간이 있어도 게을러서 쓰지 못한 것인데, 이제는 달리 도망갈 구멍이 없다. 그러니 열심히 쓰는 수밖에. 그러다 보면 무언가 아슴하게 보이는 날이 오지 않을까?

그리고 많이 돌아다니고 많이 부대껴야겠다. 바람 성성한 오름도 좋고 칼바람 일렁이는 뒈싸진 바당도 좋다. 바람도 만나고 사람도 만나야겠다. 사람을 만나 술잔을 가운데 두고 살아가는 이야기도 설왕설래 나누고 싶다. 일을 가지고 만날 일 없으니 긴장할 필요도 없다. 그저 만나서 웃고 놀다가 눈물 찔끔

흘리는 것이면 족하다. 아무리 그래도 술은 좀 줄여야겠다. 언제부턴가 몸에게 미안하다는 생각이 든다. 주인을 잘못 만나 너무 혹사시킨 건 아닌가 하는 생각을 지울 수 없다. 술을 위한 만남이 아니라 만남을 위한 술자리를 가지라고 나에게 충고 한마디 건넨다.

그리고 많이 읽어야겠다. 남의 글에 대해 그동안 인색했음을 털어놓으면서 앞으로는 안 그러겠다고 다짐해본다. 남의 글이 소중하지 않으면 내 글 또한 마찬가지라 그저 죄 없는 나무 한 그루 죽이는 일 이외에 아무런 의미가 없기 때문이다. 그러다 보면 누군가의 글 속에 내가 가야 할 길이 보일지 누가 알겠는가?

●

섬에서
시인으로
살아간다는 일

문단의 말석에 이름을 올린 지 올해로 삼십 년을 맞이하게 된다. 돌아보면 강산이 세 번이나 변한 것이다. 나름대로 쉬지 않고 여기까지 온 것 같은데 돌아보니 텅 빈 바람뿐이다. 모든 섬이 그러하듯이 섬을 키운 건 바람이다. 그러므로 섬에 사는 뭇 생명들은 바람의 자식으로 태어나 바람과 함께 살다 바람이 수그러들 때 바람과 벗하여 함께 수그러든다.

섬을 키운 또 하나의 어머니는 다름 아닌 바다다. 섬에서 나고 자란 사람이라면 누구라도 그렇듯이 바다에 관한 추억 하나쯤은 영혼 깊숙한 곳에 새겨져 있다. 나 또한 마찬가지였다. 바다가 깨어날 때 잠에서 깨었고 바다가 잠이 들 때 나 또한 잠이 들었다. 바다는 내게 무서운 아버지였고 자상한 어머니였으며, 때로는 한없이 다정다감하다가 한번 토라지면 매몰차게 등을 돌리는 연인이기도 했다. 내가 바람과 바다의 자식이므로 나의 문학 또한 바람과 바다의 자식이고 앞으로도 그럴 수밖에 없을 것이다.

바다 이야기

초등학교 2, 3학년 무렵이었다. 온종일 바다에서 놀다 집에 돌아와 곤한 잠을 자다가 오줌이 마려워 잠에서 깨었다. 오줌보는 터질 듯이 부풀어 올랐지만 눈을 뜰 수가 없었다. 부모님이 말다툼을 하고 계셨기 때문이다. 문제는 가난이었다. 그 무렵 처음으로 우리 집이 가난하다는 것을 머릿속에 새겼다. 더는 오줌을 참을 수 없어 벌떡 일어나 밖으로 뛰쳐나와 오줌을 누고 세수를 하고 다시 드러누웠다. 잠이 오지 않았다.

어스름이 되면 혼자 바다를 가게 된 것이 아마 그때부터였다. 가만히 앉아 바다를 보는 게 그냥 좋았다. 아니 집에 일찍 들어가는 게 싫었다. 내가 살던 탑동 방파제에 가면 내 주변의 바다는 고맙게도 잠을 자지 않고 철썩철썩 소리를 내며 내게 다가와 집으로 돌아갈 때까지 함께 놀아주었다. 수평선에 아슴하게 떠 있는 불빛이 내 어린 시선을 붙잡았다. 아직 어둠이 내리기 전이라 하늘에는 별이 보이지 않았다. 집으로 돌아오면서 나는 아무도 모르는 새로운 사실을 알게 되었다. 수평선에 걸린 불빛이 다름 아닌 별이었다는 것을.

다음 날, 다시 바다로 갔다. 어제처럼 하늘에는 별이 없었고 하늘에 올라갈 시간을 기다리며 별들은 수평선에서 찰랑찰랑 물장난을 치고 있었다. 탑동 방파제에 앉아 눈에 진물이 나도록 수평선, 아니 수평선의 별들을 지켜보았다. 어느 샌가 하늘엔 별들이 하나둘 보이기 시작했다. 잠깐 한눈을 판 사이에 몇몇 별들이 하늘로 오른 것이다. 그렇지, 수평선에 걸린 여러 별을 볼 게 아니라 어느 별 하나만 유심히 바라보는 게 나을 성싶었다. 그러나 그날 내가 뚫어지도록 바라본 그 별은 결국 하늘로 오르지 않았다. 그때 다시 깨달았다. 수평선에 있는 별들이라고 해서 매일 하늘로 오르는 것은 아니라는 것을.

한참 지나 어른이 된 이후에야 그 별 하나가 내게 와 시가 되었다.

어릴 적 무근성 탑아래

고추 내놓고 멱을 감았습니다

해거름이 찾아와

파도 소리 잠잠해지면

바다 끝엔 어느새
낮잠에서 깨어난 별들이
여기서도 반짝
저기서도 반짝

바닷가 오두막집에 불이 켜지면
반짝이던 별들
하나둘씩 벗을 찾아
하늘로 올라갑니다
제일 큰 별은 북극성이 되고
일곱 형제는 북두칠성이 되고
견우도 되고 직녀도 되고
하늘로 오르지 못한 별들은
바다 끝에 도란도란 마주 앉아
사이좋게 물장구칩니다

탑아래가 탑동으로 변하고
키보다 큰 방파제가
바다를 가로막은 지금
고추 내놓고 멱감는 아이는 여기 없습니다
바다 끝에 떠 있는 별을 보고

별이라 부르는 아이도 이젠 없습니다

— 졸시, 「내 어릴 적」 전문

4·3 이야기

일제로부터의 해방은 아이러니하게도 환호와 기쁨으로 온 게 아니라 미친바람으로 다가왔다. 일제가 있었던 그 자리에 미제가 대신한 것이다. 어디 그뿐인가? 행정 경험을 이유로 친일 모리배들이 해방 이후에도 버젓이 자리를 차지하고 앉았다. 제주도민뿐만이 아니라 전 국민의 바람은 일제 잔재의 완전한 청산이었고, 통일된 조국을 건설하는 것이었다. 미제를 등에 업은 이승만 권력은 남한만의 단독정부 건설을 위해 그에 반하는 모든 세력과 가치들을 공산주의로 매도했다.

그러므로 1947년 3·1절 기념집회로 시작된 이른 바 4·3항쟁의 본질은 여기에 있다. 일제 잔재와 미제에 의한 또 다른 식민 지배를 선택할 것인가 아니면 완전하고 통일된 조국을 선택할 것인가의 기로에서 제주도민은 단독정부 수립을 위한 선거를 전면 거부함으로써 결연하게 통일된 조국 건설을 선택한다.

제주도민의 선택에 대한 미제와 이승만 권력의 반응은 한라산에 휘발유를 뿌려 섬 하나를 지도상에서 아예 지워버리는 것으로 돌아왔고, 그 결과는 가공할 만큼 참혹했다.

백살일비(百殺一匪), 백 명을 죽여서라도 한 명의 공산주의자를 잡겠다는 것이고, 시산혈해(屍山血海), 즉 그들에 의해 억울하게 죽어간 시신이 산같이 쌓였고 섬사람들이 흘린 피가 바다처럼 흘렀다. 그리하여 살아서 공산주의자가 무엇인지도 몰랐던 섬사람들은 죽어서 공산주의자가 되고 말았다. 그렇게 60여 년이 흐른 것이다.

지금 제주도는 세계적으로 주목을 받고 있는 관광지이다. 그러나 그 속살을 들여다보면 거기에는 아직도 학살의 흔적이 고스란히 암매장되어 있다. 성산 일출봉이 그렇고 표선 백사장이 그렇고 모슬포 송악산이 그렇고 서귀포 정방폭포가 그렇다. 무엇보다 제주의 바다 관문인 제주항도 어김없이 무고한 양민을 수장한 학살터였다는 것이다.

죽어서 내가 사는 여긴 번지가 없고
살아서 네가 있는 거긴 지번을 몰라
물결 따라 바람결 따라 몇 자 적어 보낸다

아들아,
올레 밖 삼도전거리 아름드리 폭낭은 잘 있느냐
통시 옆 멀구슬은 지금도 잘 여무느냐
눈물보다 콧물이 많은 말젯놈은

아직도 연날리기에 날 가는 줄 모르느냐
조반상 받아 몇 술 뜨다 말고
그놈들 손에 끌려 잠깐 갔다 온다는 게
아, 이 세월이구나
산도 강도 여섯 구비 훌쩍 넘었구나

그러나 아들아
나보다 훨씬 굽어버린 내 아들아
젊은 아비 그리는 눈물일랑 그만 접어라
네 가슴 억누르는 천만근 돌덩이
이제 그만 내려놓아라
육신의 칠 할이 물이라 하지 않더냐
나머지 삼 할은 땀이며 눈물이라 여기거라
나 혼자도 아닌데 너무 염려 말거라

네가 거기 있다는 걸 내가 볼 수 없듯
내가 여기 있다는 걸 네가 알 수 없어
그게 슬픔이구나
내 몸 누일 집 한 채 없다는 게 서럽구나 안타깝구나
그러니 아들아
바람 불 때마다 내가 부르는가 여기거라

파도 칠 때마다 내가 우는가 돌아보거라

물결 따라 바람결 따라 몇 자 적어 보내거라
죽어서 내가 사는 여긴 번지가 없어도
살아서 네가 있는 거기 꽃소식 사람소식
물결 따라 바람결 따라 너울너울 보내거라, 내 아들아

— 졸시, 「물에서 온 편지」 전문

강정 이야기

그렇다면 60여 년 전 무고한 양민을 학살한 악령은 이제 그 수명을 다하였는가? 아니다. 끔찍하게 되살아나고 있다. 1948년 제주도가 절해고도의 섬이었다면 지금 강정마을은 섬 속의 섬, 고립무원의 무법천지와 다름이 없다. 지금까지 살아온 것처럼 아름다운 바다와 함께 평화롭게 살아가겠다는 강정마을의 소박한 꿈을 정부는 여지없이 짓밟고 말았다. 평화 정착보다 전쟁 준비를 선택한 권력은 자연을 파괴하고 인간을 파멸로 내몰고 있다. 세계평화의 섬이 마침내 전쟁의 전초기지로 전락할 위기에 놓인 것이다. 평화를 사랑하는 마을 주민, 제주도민, 더 나아가 전국의 시민사회단체, 종교인 및 예술인 그리고 세계적인 학자와 환경단체가 전쟁의 위협을 준엄하게 꾸짖고 있음에도 불구하고 정당성을 상실한 권력은 반성은커녕 오히려 전쟁몰이에 박차를 가하고 있다. 평화의 외침을 진압하기 위해서 육지에서 응원경찰이 내려오고 불법적인 탄압과 연행과 구속이 자행되고 있다.

강정은 지금 펜스에 둘러싸여 잔인하게 파괴되고 있다. 강정 평화의 아이콘인 구럼비 바위는 그야말로 살아 있는 생명체이다. 맨발로 구럼비에 서면, 하루의 노동을 마친 아버지의 잔등을 밟는 것처럼 넉넉하고 따스하다. 저들은 그 구럼비의 숨통에 폭약을 설치하고 그 넓은 어머니의 품을 능지처참하고 있다. 구럼비가 파괴된다는 것은 구럼비와 함께했던 강정의 아이들, 구럼비로부터 양식을 제공받았던 해녀들 그리고 강정을 사랑하는 모든 사람들이 무너진다는 것이며, 그들과 함께 살고 있는 붉은발말똥게가 사라진다는 것이며, 층층고랭이가 사라진다는 것이며, 남방큰돌고래가 다시는 강정을 찾아오지 않는다는 것이다.

물 좋아 일강정
물 울어 일강정 운다
소왕이물 울어 봉등이소 따라 울고
봉등이소 울어 냇길이소 숨죽여 울고

냇길이소 울어 아끈천 운다
할마님아 하르바님아
싹싹 빌면서 아끈천이 운다

풍광 좋아 구럼비 운다
구럼비 울어 나는물 울고
나는물 울어 개구럼비 앞가슴 쓸어내린다
물터진개 울고 지서여 따라 운다
요노릇을 어떵허코 요노릇을 어떵허코
썩은 세상아 썩은 세월아
마른 가슴 써근섬이 운다

눈물바람 불 때마다
닭이 울고 쇠가 울고
강정천 은어가 은빛으로 운다
바다와 놀던 어린것들
파랗게 질려 새파랗게 운다
집집마다 노란 깃발
이건 아니우다 이건 아니라마씀
절대 안 된다고 손사래치며 운다

물끄러미 보고만 있는

문섬아! 섶섬아! 범섬아!

아직도 말이 없는

파도야! 바람아! 청한 하늘아!

일강정이 울고 있다

구럼비가 울고 있다

— 졸시, 「일강정이 운다」 전문

어머니 이야기

나는 내 언어를 교과서에서 배웠다. 모르는 언어가 눈에 띄면 표준이 되는 언어만 실려 있는 국어사전에 기댔다. 그러나 어머니는 당신의 언어를 삶에서 체득했다. 바닷물에 절고 바람에 씻겨 오로지 알갱이만 남은 언어로 어머니는 울고 웃고 사랑하고 또 싸웠다. 한때 나는 그런 어머니가 싫었고 미웠다. 부끄러웠다. 문학에 뜻을 두고 제주의 속살에 관심을 갖기 시작하면서 조금씩 어머니의 언어가 귀에 들어왔다. 어머니의 삶을 이해하기 시작하면서 그 언어의 소중함을 알았다. 더불어 내가 배운 언어에는 감정도 느낌도 진정한 분노도 없다는 것을 알았다. 그 언어로는 어머니가 온몸으로 살아온 삶을 제대로 담을 수 없다는 것도 알게 되었다.

새벽별을 보며 밭에 나갔다가 허리 한번 펼 틈도 없이 다시 바당밭으로 나가야 하는 고단한 삶을, 교과서에서 배운 언어로는, 더군다나 표준만을 강요하는 국어사전에 실린 언어로는 도무지 그 깊이와 너비를 헤아릴 수도 담아낼 수도 없었다. 삶을 낳고 기르다가 결국은 빼앗기고 능욕당하고 스러져간 슬픔은 물론이거니와 콩 반쪽도 나누는 넉넉함과 삶의 소용돌이를 당차게 되갈라치는 당당함을 어머니의 언어가 아니면 담아낼 수가 없었다. 어머니의 언어는 늘 피해자의 언어였다. 피해자의 언어였기 때문에 어머니의 목소리에는 한숨과 눈물이 섞여 있다.

양지공원에도 못 가보고 집이서 귀양풀이 헌 덴 허영게 그딘 가봐사 헐 거 아닌가? 기여게 맞다게 얼굴 보민 속만 상허고 고를 말도 없고 심방어른이 가시어멍 거느리걸랑 잊어불지 말았당 인정으로 오천 원만 걸어도라 미우나 고우나 단사윈디 저싱길 노잣돈이라도 보태사주 경허고 영개 울리걸랑 촘젠 말앙 막 울어불렌 허라 속 시원히 울렌허라 쉐 울듯 울어사 시원해진다 민호어멍 정신 섞어정 제대로 울지도 못 해실거여 막 울렌허라 울어부러사 애산 가슴 풀린다 울어부러사 살아진다 사는 게 우는 거난 그자 막 울렌허라 알아시냐?

— 졸시, 「어머니의 전화」 전문

이야기를 마치며

지구촌 어디든 제국의 발굽에 짓밟힌 상처를 간직한 곳이면 반드시 피해자의 언어가 있게 마련이다. 나는 새삼스럽게 국경을 뛰어넘어 피해자 언어들의 연대와 소통을 꿈꾼다. 천박한 자본의 논리가 급속한 속도로 팽창하는 시대와 맞짱을 뜨기 위해서라도 역사적 경험을 공유하는 언어들은 서로 만나야 한다.

일찍이 신경림 시인은 '못난 것들은 얼굴만 봐도 흥겹다'고 했다. 피해자의 언어에는 진정한 눈물과 진정한 분노와 진정한 투쟁이 녹아 있다.

평등한 문명시대를 열기 위해서라도 우리의 언어는 만나야 한다.

심방 정공철을
말하다

1.

그와의 인연을 거느리자면 한참을 거슬러 올라가야 한다. 고대 그리스의 우화 작가 이솝의 반생을 다룬, 길레르미 피게이레두의 〈여우와 포도〉를 연습하던 '수눌음' 시절이었으니까 30년은 족히 되겠다. 배우가 없어 허덕거리고 있는데 벗의 손에 이끌려 그가 연습장을 찾았다. 함께하겠다는 거다. 웬 떡이냐며 손이라도 덥석 잡아줘야 하는데 얼핏 행색을 훔쳐보니 이건 공연용이라기 보단 완전 뒤풀이용이다. 모슬포 칼바람에 거무데데하게 그슬린 이마빡, 앉았던 자리엔 풀도 나지 않는다는 대정 몽생이를 빼다 박은 눈탱이, 남은 거라곤 기둥밖에 없는 가산에도 어느 한 군데 옹색함 없이 되바라지게 자리 잡고 앉은 매부리코….

알고 보니 같은 과 1년 후배인데 그는 서슴없이 말을 놓는다. 갑장이라는 거다. 민증에는 분명 후배인데, 그의 말에 의하면 부친께서 출생신고를 늦게 하는 바람에 그렇게 되었다는데 부친은 이미 오래전에 돌아가셔서 확인할 길은 없고, 우린 그 후로 그냥 "공철아", "수열아" 하면서 지냈다.

그는 가방끈이 유난히 길다. 남들은 4년이면 마치는 대학을 10년 남짓 다녔으니 오죽 많은 것을 배웠겠는가. 사연은 이렇다. 원어민 교수가 강의하는 영어 실습이 있었는데 그만 권총을 차고 말았다. 재이수를 해야 하는데 문제는 영어로 수강 신청을 해야 한다는 점이었다. 교수실에 가서 노크를 하고, 자연스럽게 손을 들어 "하이 아임 정공철." 여기까지는 좋았는데 그 다음이 막혀 그냥 주왁주왁하다가 결국 "아임 쏘리, 씨유 어겐!" 하며 쓸쓸하게 돌아선 세월이었던 거다. 만약 수강 신청을 했더라면 지금쯤 그는 순진한 여학생들 앞에서 '눈이 부시게 푸르른 날은 그리운 사람을 그리워하자'며 손빗으로 머리 넘기면서 그윽한 눈으로 먼산바라기를 하고 있을 것이다. 결국 그는 훈장질을 버리고 심방질을 택한 것이다.

2.

그러니까 20여 년 전이다.

그는 견디기 힘든 하루하루를 살고 있었다. 무언가 도움을 주고 싶었지만 남을 도와주기엔 나도 너무 보잘것없었다. 하다 못해 글이라도 써서 곁에 다가서고 싶었다.

예수나 믿었으면 천당에나 갈걸
부처나 믿었으면 극락에나 갈걸
사범대학 다니다가 돈에 밀려 그만두고
고향 찾아 내려와 제재소에 일 다니다
통나무 자르는 전기톱에 손가락 두 개 잘린 날
푸르딩딩한 손가락 하얀 무명으로 둘둘 말아
저만 아는 양지 녘에 묻어 시왕전에 보내고
대폿잔 가득 쓴 소주 부어 아픔 달랬다
허전한 손가락 혀 깨물고 서러움 참았다

아들 네 형제 뒤치다꺼리로
먹지도 입지도 못한 어머니
눈물 고생 한숨 고생 마음고생 다 넘기고
자식 호강 받으며 살 만한 나이에
팔자 궂은 전생 무슨 기막힌 악연인지

시름시름 앓다가 끝내 사별하고
일가방상끼리 모여 영장 묻고 봉분 다지면서
쓰러지지 않기로 했다
모질게 살아가기로 했다

팔월 땡볕 신촌초등학교 빈 교실에서
마당굿 연습으로 비지땀 흘리던 날
돌아가신 어머니 대신 안살림 맡아
편찮은 아버지 시중들던 셋째 아우가
물에 빠져 익사했다는 험악한 전갈을 받고
허겁지겁 합승택시에 몸을 실어
서부산업도로 밤길 달리면서
절대 당황하지 않기로 했다
차라리 담담해버리기로 했다

그다음 해 오랫동안 앓아온 지병에
헤아릴 수 없는 화병까지 도져
무어라 말 한마디 남기지 않은 채
먼저 가신 어머니 곁으로
아버지마저 먼 길 나선 날
모든 것을 받아들이기로 했다

눈물겹도록 오지게 살 일만 남았다 했다

이제는 철저하게 아주 철저하게
팔자 그르친 신의 형방이 되어
이승에 없는 부모 형제 가슴으로 부르듯
이승에 남아 아픔으로 살아가는 이웃들과 더불어
눈물의 바다 분노의 바다 일구어내는
광대가 되어 넓고 크게 살기로 했다

—졸시, 「정심방」 부분

3.

그도 이제 천명(天命)을 알 나이에 접어들었다. 마당 판에서는 판의 흐름에 따라 물 흐르듯 흐르는 어엿한 광대이면서 굿판에서는 무형문화재 칠머리당에서 없어서는 안 될 심방이다. 그의 삶은 굳이 마당 판과 굿판으로 구분되지 않는다. 굿판처럼 마당 판을 살아왔고 마당 판처럼 굿판을 살아갈 것임을 알기 때문이다.

몇 해 전 4·3 60주기를 기념하여 일본 오사카와 동경에서 공연이 있었다. 공연의 마무리는 그가 4·3 때 억울하게 죽은 원혼을 불러 저승 상마을로 인도하는 제차였다. 그가 감상기를 들고 혼을 부르고 있는데 객석에 앉아 있던 할머니들이 하나둘

자리에서 일어나 무대 앞에 진설한 제상으로 가서 인정을 걸기 시작하자 객석의 사람들 대부분이 자리에서 일어나 인정을 걸기 위해 줄을 선 것이다. 공연 시간은 10분밖에 안 남았는데 난처한 상황이 벌어진 것이다. 그러나 그는 전혀 동요하지 않았다. 모든 분들이 원혼들에게 인정을 걸 때까지 그는 배우로서 아니 심방으로서 하염없이 혼을 부르며 비새같이 눈물을 흘리고 있었던 것이다. 1000석을 꽉 채운 객석은 그로 하여 금세 울음바다가 되었고 무대 뒤에서 공연이 끝나기를 기다리고 있던 배우들의 눈망울도 붉게 물들 수밖에 없었다.

얼마 전 놀이패 '한라산'이 기획한 〈제주4·3평화마당극제〉에 그는 총연출을 맡아 후배들과 고생을 함께했다. 물론 총체적인 기획력이 뛰어나 그가 총연출을 맡은 것은 아니라는 걸 나는 잘 안다. 고생하는 후배들이 안쓰러웠을 것이다. 하여 전국에서 공연을 위해 제주를 찾은 극단들에 대해 놀이패 '한라산'을 대신해서 술 상무라도 해야겠다고 자처하고 나선 것이다. 그런 인간이 바로 정공철이다. 마당극제 뒤풀이 자리에서 그는 주변에다가 먼저 연락하기 전에 전화하지 마라 했단다. 얼핏 들으면 비장하게 잠적할 듯한 말투였겠지만, 그를 아는 사람은 다 안다. 그는 다만 이부자리 옆에 1.8리터짜리 삼다수 두어 병 사다 놓고 이 박 삼 일 물만 먹고 죽은 듯이 잘 터이니 방해하지 마라는 소리다. 그러다가 술독이 꼬리뼈로 빠져나갔다 싶으면 배시시 일어나 한참 동안 손전화를 찾다가(없으면, 에구구 하고 또 잔다) 있으면 으레 술벗들에게 전화 걸어 "게난 무시것 햄서? 선흘에 술 좋았덴 허는디 어떵허코?" 여지없이 갈색 선글라스를 끼고 애마 스쿠터를 깨워 동백동산 들머리에 있는 동백카페(원래 이름은 동백상회다)로 달리거나 함덕에 새로 개업한 백사장이 보이는 막걸릿집에 앉아 있을 것이다.

그와의 인연이 어느덧 30년이다.

지나친 욕심인지 모르지만 덜도 말고 이렇게 30년만 더 갔으면 원이 없겠다.

그는 이제 국가 지정 심방을 넘어 유네스코가 정한 국제적인(?) 심방이다. 칠머리당 영등굿이 유네스코 세계문화유산으로 등재가 되었으니 비록 제일 심방은 아닐지라도 세계문화유산임에는 틀림이 없다.

세계적인 심방으로부터 연락 오기를 기다린다는 건 무례한 일이다. 이제는 내가 먼저 전화를 해야겠다.

"함덕에 술 좋았덴 허멍? 어떵허코?"

오랜만에 백사장에 앉아 잔을 주고받다가 막걸리처럼 적당히 발효된 그의 절창 '대니 보이'를 들으면서 천천히 취하고 싶다.

4.

여기까지가 일전에 쓴 글이었는데, 참 난감하기 그지없다.

윗글은 그가 우리 곁에 있을 때 어디선가 청탁을 받고 쓴 글인데 지금은 그가 여기 없기 때문이다. 그 후, 성읍에서 두 일레 열나흘 큰굿을 마치고 당당한 심방으로서 이제 살 만한 시절이 오는가 보다 했는데, 세상 참 얄궂다. 그가 몹쓸 병마와 싸우다 그만 삳바를 놓고 말았으니 말이다.

그가 병석에 있을 때 나에게 부탁이 있다며 조용히 보자고 했다. 막냇동생이 혼례를 치르지 못한 채 살고 있어 늘 마음에 걸려 더 늦기 전에 혼례를 치러주려 하는데 나더러 주례를 부탁하는 거였다. 크게 어려운 부탁도 아니고 막냇동생도 내 제자뻘 되는 터라 선뜻 대답을 하고, 혼렛날 모슬포로 차를 몰았다.

그는 아주 단정하게 한복을 차려입고 미리 혼주 자리에 앉아 있었다. 안색이 거무튀튀하고 피곤한 기색이 역력했지만 막냇동생의 혼례를 직접 보게 되어서 그런지 마음은 편안해 보였다. 혼례를 마치고 그는 피곤하다며 먼저 병원이 있는 제주시로 돌아왔는데 돌이켜 생각해보면 아마도 그게 그의 마지막 외출이 아니었나 싶다.

얼마 지나지 않아 학교에서 수업을 하는데 핸드폰이 계속 울렸다. 간병을 하고 있던 동생으로부터 전화가 온 것이다. 형이 오늘을 못 넘길 것 같다는 전갈이었다. 알았다고 하고선 다급하게 탑동에 위치한 병원으로 갔다. 병실에서 그와 마주한 서너 시간은 굳이 옮기지 않으려 한다. 그게 그와의 마지막 이별이었다.

장례를 앞두고 내가 할 수 있는 일은 고작 헤어짐의 시를 써서 그와 이별을 인정하는 일밖에 없었다.

8월이면 민족극한마당이 제주에서 열리는데
경향 각지에서 찾아들 딴따라들을 위해
그때까진 다부진 몸 만들어
막걸리 석 잔은 거뜬하게 비울 수 있게 하겠다더니
에라이, 야속한 사람아!
이 속절없는 사람아!

4·3굿이며 입춘굿은 누가 이어 가라고
서천꽃밭 시왕질 이리도 서두르셨는가
바당에서 노는 것들이 하나같이 안줏감이고
한라산 남은 술이 어서 오라 부르는데
피다 만 담배꽁초가 재떨이에 그대로 남아 있는데
에라이, 야속한 사람아!
이 속절없는 사람아!

관덕정 마당에 카페리가 들면, 그땐
전국의 광대들을 한 자리에 불러 모아

천지가 개벽한 해방 세상 대동 세상
열두 당클 큰 굿판 걸판지게 벌이겠다던
그 다부진 약속은 어찌 되었는가, 이 사람아!
혈육 한 점 어찌 하라고 이리 서두르셨나
이 사람아! 무정한 이 사람아!

그러나 어쩌겠나?
이승에는 이승법이 있듯 저승에는 저승법이 있어
그대 먼 길 떠나려니 붙잡지 않으려네
뒤돌아보지 말고 훌훌 털고 가시게
미운 정 고운 정 다 거두어 가시게
가서 부모님 찾아뵙고 대학 마쳤으니 곧 선생할 거라고
거짓말 했던 거 한 잔 따르면서 고백하시게
먼저 간 동생도 불러 두 일레 열나흘
못 다한 정도 함께 나누시게
얼마 전 앞서 간 부산 털보 최정완이도 불러
그곳에서 새로운 굿판 도모하시게

이승과 저승이 서로 만나고
산 자와 죽은 자가 한데 어우러지는
신인동락 너른 세상에서 우리 다시 만나리니

공철이 이 사람아, 먼저 가 계시게

먼 길이라네 가도 가도 끝이 없는 먼 길이라네

돌아보지 말고 가시게

— 졸시, 「훌훌 털고 가라, 공철아」 전문

●

'제주 마당극의 회고와 전망'을 대신하여

피해 갈 수만 있다면 그렇게 하고 싶은 게 지금 이 글을 쓰고 있는 솔직한 심정이다. 물론 원고를 청탁하는 편집진 입장에서는 당연한 선택이었다고 판단할 수 있겠으나 청탁을 받은 필자의 심정은 그게 아니었다. 제주 지역에서의 마당극운동이 시작되는 지점에 필자가 있었고, 지금도 그 주변을 떠나지 않고 있다는 이유 때문에 청탁을 한 것이겠지만 기실 필자 스스로 생각하기에는 이미 마당극운동의 중심에서 벗어난 지 오래되었고, 그런 이유로 '제주 마당극의 회고와 전망'을 말하기에는 설득력도 없거니와 가당치도 않다는 생각을 했던 것이다.

그렇다고 회피하자니 그야말로 구차한 변명이 될 수밖에 없을 것 같고 설령 편집진에서 흔쾌히 받아들여 다른 사람을 물색해본들 그 대상은 지금 이 시간에도 소위 딴따라판에서 정신노동과 육체노동을 감내하면서 판을 만들고 판에 서 있을 광대들일 것임을 생각하니 군소리 없이 청탁을 받아들이는 게 그나마 그네들의 일손을 덜어주는 일이라는 생각에, 그럼 쓰겠노라고 허락을 한 것인데, 막상 쓰려고 하니 '전망'은 고사하고 '회고'도 난감하기 짝이 없어 구차하게 그것들을 '대신하여'라고 제목을 비틀어본다.

아무래도 제주에서의 '마당굿'(이 용어에 대해서는 한마디 하고 넘어가야겠다. 원래 주어진 가제는 '마당극'이었는데 제주 지역에서는 어울리지 않는 용어이기 때문이다. 원래 양식적 개념으로 사용된 '마당극'은 풀어 얘기하면 '무대'가 아니라 '마당'에서 펼쳐지는 '극'이라는 의미에 불과하다. 일찍이 채희완, 임진택 등도 언급한 바 있지만 전통적인 양식을 현재적인 의미로 재창조하여 펼쳐지는 연희는 '마당굿'이어야 한다. 특히 제주처럼 전통 연행 양식이 육지부와는 달리 전적으로 굿에서부터 전승되었다면 엄연히 그렇게 불러야 함이 옳다. 하여 이후로는 '마당굿'으로 쓰겠다)을 거론하자면 '제주굿'의 이론적 토대 위에 '마당굿'이라는 실천 논리를 찾아내고 몸소 실천한 문무병 선배의 틀을 차용할 수밖에 없고, 그 행위의 주체는 제주 지역의 마당굿운동의 맥을 이어가고 있는 놀이패

'한라산'의 행적을 중심으로 삼을 수밖에 없을 것이다.

그렇기 때문에 어떤 의미에서 이 글은 제주 마당굿의 전부를 대상으로 하고 있지 않을 수도 있겠다. 이를테면 민요패 '소리왓'이나 풍물굿패 '신나락'에서 보여준 연행은, 그 제목부터 '소리판굿' 혹은 '풍물판굿'이라 하고 있어서 굿놀이 양식으로서의 마당굿과는 다른 검토가 필요하다는 판단에서 논외로 하였고, 필자가 접하지 못함으로 인해 논의 대상에서 제외된 것이 있다면 이는 전적으로 필자의 불찰일 수밖에 없다.

1. 극단 '수눌음' 시대의 마당굿

한반도의 맨 끝에 마치 버려진 아이처럼 홀로 있는 '탐라'라는 아름다운 고장에서 우리는 태어났다. 이곳은 문화의 변방이며, 행정적 벽지이기 이전에 틀림없이 민족의 얼과 맥박이 살아 뛰는 한국의 국토임을 우리는 자랑스럽게 생각한다. 변두리에 위치한 우리 고장에는 조상의 슬기로운 삶의 자취가 남아 있다. 따라서 이것은 중앙에 비교하여 변방이 아니라, 사실은 스러져가는 우리의 전통문화에 새로운 활력을 공급할 전위의 자리인 것이다. 이제는 이곳에서 파문을 던져 외래문화가 범람하는 저 한복판까지 전파시켜야 할 것이다.

1980년 8월, 극단 '수눌음' 창단과 아울러 창립 공연으로 치러진 〈땅풀이〉 공연 현장에서 처음으로 소개된 '수눌음 문화 선언'의 일부이다. 극단 '수눌음'의 성격을 분명하게 드러낸 이 선언은 '제주'라는 섬을 "민족의 맥박이 살아 뛰는 한국의 국토"임을 밝히면서, 이곳 제주야말로 "스러져가는 우리의 전통 문화에 새로운 활력을 공급할 전위의 자리"라는 것, 그리고 "외래문화가 범람하는 저 한복판까지 전파시켜야 할 것"이라는 의지를 분명히 하고 있다. 그런 의미에서 창립 공연 〈땅풀이〉가 외지 자본에 의한 제주 지역의 토지 점유를 내용으로 한 것은 어쩌면 당연한 귀결이었다.

광주 5월 직후, 서슬 퍼런 전두환 정권에서 치러졌다는 사실만으로도 전국적인 이슈가 되기에 충분하였으며, 이어진 〈항파두리놀이〉 또한 기존의 중앙집권적 역사 해석을 지역 중심의 민중적 관점에서 재해석하였다는 점에서 많은 주목을 받았다. 특히 1982년에 공연된 〈좀녀풀이〉는 역사에 파묻혀 있던 세화리 해녀 항쟁을 현재적 시점으로 끌어올려 세상에 알렸다는 점에서 의미가 있으며, 연우무대 초청으로 서울 국립극장에서 공연함으로써 제주의 마당굿 운동이 단순한 문화운동이 아니라 문화의 지방자치를 당당하게 선언한 일대 사건이라는 평가를 받기에 이르렀다. 공연에 이은 뒤풀이 자리에는 이른바 딴따라 1세대라고 불리는 이애주, 채희완, 김명곤, 임진택, 김민기 등이 한데 어울려 날밤을 새우는 줄도 모르고 음주 가무를 즐겼던 기억이 새롭다.

그러나 광주를 희생양으로 권력을 빼앗은 전두환 정권은 이미 제주 지역에서 운동의 중심으로 자리 잡은 극단 '수눌음'을 가만두지 않았다. 당시 제주는 국제자유항 건설을 밀어붙이려는 권력과 이를 저지하려는 민주화운동 세력 간에 극한 대립을 보이고 있었고, '수눌음'은 어김없이 국제자유항 반대를 내용으로 한 〈태순땅〉을 공연하였으며, 공연에 이은 학내 시위에 대한 배후 세력이라는 누명을 뒤집어씌워 공연 단체 허가를 취하함으로서 1983년 가을, 극단 '수눌음'은 막을 내리게 된다.

그 후 극단 '수눌음'을 재건하려는 시도는 계속되었다. 극단 '한올래'를 창단하여 현기영 선생의 소설 「일식풀이」를 각색한 공연이 있었고, 후배들을 중심으로는 극단 '눌'을 창단하여 '방성칠 난'을 내용으로 하는 창작물 〈맺힌 섬 푸는 바당〉을 창작하였으나, 공연 당일 공권력을 동원한 공연장 전면 폐쇄로 말미암아 결국 창립 공연조차 이루어지지 못한 가슴 아픈 추억도 새삼스럽다.

2. 놀이패 '한라산'의 어제와 오늘

어떠한 사람이나 어떠한 민족도 자신의 문제를 주체적으로 사고하고 해결해나가는 창조적 활동이 보장되어야 하며, 그것을 억압하려는 어떠한 형태의 제약도 마땅히 거부되어야 한다. 그것은 자주적으로 삶의 현장에서 일하고 있는 사람이거나 그러한 민족에게 있어서는 더욱 그러하다. (…) 앞으로 우리는 구체적인 삶의 현장에서 들려오는 생생하고 진솔한 목소리를 겸허하고 진지한 자세로 받아들이며, 그것을 우리 운동의 연구 및 과제로 삼아 나갈 것이다. 또한 우리는 삶의 마당, 놀이마당, 싸움 마당, 꿈의 마당, 그리하여 자주와 민주와 통일의 한마당, 우리 고유의 신명 나는 몸짓으로 풀어나가는 민중의, 민족의 마당이고자 한다.

1987년 6월항쟁 이후 흩어져 있던 역량들을 한데 결집하여 결성한 놀이패 '한라산'의 창립 선언문 일부이다. 1987년 8월에 창립한 놀이패 '한라산'은 6월항쟁이 있기까지의 민주화운동의 역량을 반영하듯 변혁운동으로서의 문화운동, 민족민주운동에 복무하는 문화운동을 선언하면서 제주 지역의 현안을 전통적인 양식으로 사회에 발언하는 문예 집단임을 분명히 하고 있다.

'한라산'의 출범과 함께 주목할 점은 그동안 금기시되어온 4·3을 연행의 중심에 두었다는 점이다. 물론 지역 현안이었던 송악산 군사기지 반대, 전교조 합법화 투쟁, 제주도개발특별법

반대투쟁, 골프장 반대투쟁, 장기수 문제 등에도 역량을 결집하여 현장 중심의 공연을 게을리하지 않았다.

최초의 4·3공연의 제목은 〈4월굿 한라산〉이었다.

'4월굿'을 제목 앞에 명기한 것은 앞으로도 4·3공연은 쉼없이 계속하겠다는 내적 다짐인 동시에 대중과의 약속을 밝힌 것이며, 단체의 이름을 그대로 빌려온 '한라산'은 그만큼 4·3 첫 작품에 대한 비장한 결의를 표출한 것이라 하겠다. 다시 말해 4·3의 원혼들에게 부끄럽지 않은 작품으로 다가서겠다는 다짐인 동시에 4·3정신을 삶과 활동의 지표로 삼겠다는 옹골찬 확인이며, 좀 더 비약하면 이 공연이 놀이패 '한라산'의 마지막 작품이 될 수도 있다는 비장함이 배어 있는 선언이라 하겠다.

1989년 제주시민회관에서 초연된 〈4월굿 한라산〉은 현기영 선생의 소설 「순이 삼촌」과 이산하 시인의 4·3 서사시 「한라산」에 이은 충격 그 자체였다. 1947년 3·1시위에서부터 대학살에 이르는 과정을 총론적으로 다룬 이 공연은 제주도민 사회에 큰 반향을 불러일으켰으며 여타의 장르에서도 4·3을 다루는 계기를 마련하였고 서울 예술극장 한마당에서 펼쳐진 전국민족극한마당에 참가함으로써 4·3을 전국적으로 알리는 노력도 아끼지 않았다.

물론 놀이패 '한라산' 내부의 고통도 적지 않았다. 공연에 참가한 대부분의 회원들이 공안 당국에 불려가 '인민항쟁가는 어디서 어떻게 입수했느냐', '대본은 누가 쓰고 연출은 누가 했느냐'는 등 갖은 회유와 협박에 시달려야 했고, 4·3은 항쟁이 아니라 남로당이 획책한 폭동으로 당시 죽은 사람은 모두 빨갱이라는 훈시를 들어야 했고, 다시는 불온한 공연은 하지 않겠다는 서약서를 요구받는 상황에 이르기까지 하였다.

그러나 놀이패 '한라산'은 그에 굴하지 않고 해마다 4월이 되면 '작년에 왔던 각설이가 죽지도 않고 또 오듯' 어김없이 4·3을 들고 나왔다. 총론적 접근보다 각론적 관점에 역점을 두어 구체적으로 접근한 것이다.

대표적인 작품으로 〈4월굿 백조일손〉이 있다. 〈4월굿 한라산〉이 발표된 이듬해인 1990년에 공연된 작품으로, 이제는 대부분의 사람들에게 알려진 사실이지만 그 당시만 해도 '백조일손'의 실체에 대해 유가족들도 함부로 입을 열 수 없던 상황이었으며, 일반인들은 그 실체를 제대로 알지 못하는 상황에서 발표된 작품이었다. 이 작품과 관련하여 안타까운 점은 오늘날 '백조일손'의 실상이 알려지고 사건의 현장에 추모비가 서고 해마다 추모 행사가 열리고 있음에도 불구하고, 온갖 두려움을 감내하면서 작품으로 만들어낸 놀이패 '한라산'의 공적과 노고에 대해 누구도 언급하지 않는다는 것이다. 하기야 언제 광대들이 칭찬받으려고 판에 섰을까마는.

다시, 기억에 남는 작품으로는 〈4월굿 살짜기 옵서예〉가 있다. 1993년에 발표된 창작물인데 공연의 내용은 오늘날 제주도의 유명한 관광지는 4 · 3 당시 피어린 학살터였음을 고발한 작품이다. 이 작품은 제6회 민족극한마당에 참가하여 우수작품상을 수상하였고 전국을 순회하면서 관광지 제주가 단지 관광의 섬이 아닌, 피와 한과 눈물이 서려 있는 섬임을 각인시킨 동시에 제주를 다시 생각하게 하는 계기를 마련했다는 점에서 의미 있는 작품이라 하겠다.

놀이패 '한라산'은 4 · 3을 형상화함에 있어서 창작품만을 고집하지 않고 기존의 좋은 작품을 각색하는 노력도 게을리 하지 않았다. 1995년에 발표된 〈4월굿 목마른 신들〉이 바로 그런 작품이다. 원작은 현기영 선생의 소설인데, 심방의 생애사를 통해 4 · 3 당시 희생자의 혼이 깃든 가해자의 상처를 치유하는 과정과 4 · 3이 아직도 계속되고 있음을 말하고 있는 내용이다. 전통연희의 계승을 공연의 지향점으로 삼고 있는 놀이패 '한라산'의 입장에서, 심방의 생애와 4 · 3이 만나고 있다는 점, 산 자와 죽은 자의 영혼을 통해 가해자와 피해자의 화해를 다루고 있다는 점에 주목하여 각색하였는데 제주 공연뿐만 아니라 제8회 민족극한마당에서도 최우수작품상을 수상하는 영광을 누리기도 하였다.

제주의 마당굿은 마침내 일본으로까지 진출하게 된다. 제주 4·3의 진상규명운동과 맞물려 재일동포 사회에서도 4·3에 대한 관심이 고조되면서 작품을 초청하기에 이르렀는데 일본 진출의 첫 작품은 다름 아닌 〈4월굿 한라산〉이었다. 1998년 일본 교토와 오사카에서 공연되어 공연장을 찾은 많은 동포들에게 뜨거운 감동을 자아내는 데 부족함이 없었다. 2003년에는 제주에서 초연된 바 있는 〈4월굿 꽃놀림〉이 도쿄 닛포리 사니홀과 민족학교 체육관에서 공연되기도 하였다.

그 외에도 일본이 낳은 세계적인 작가 오다 마코토의 소설 「아버지를 밟다」를 각색하여 제주와 서울은 물론 일본의 오사카와 동경에서 공연한 바가 있었다. 노벨문학상 후보로 끊임없이 거론되던 오다 마코토 선생을 일본으로 직접 찾아뵙고, 무려 6시간 동안의 논의 끝에 원작 사용을 허락하면서 선생님께서는 국제적인 교류이기 때문에 반드시 필요하다며 계약서를 작성하였는데, 그 내용 중에는 '원작료는 「아버지를 밟다」 공연이 종지부를 찍은 후에 계산하기로 한다'는 내용이 들어 있었다. 원작료를 계산할 능력이 전혀 없는 줄을 뻔히 알기에 책임감을 가지고 열심히 해보라는 격려로 그런 말씀을 주셨는데, 원작료를 계산하기도 전에 선생님은 타계하시고 말았으니 그 고마움을 어떻게 갚아야 할까?

제주의 마당굿을 회고하다 보니 놀이패 '한라산'의 공연 연보, 특히 그중에서도 4·3을 중심으로 한 연보가 되어버린 느낌이다. 앞에서도 언급했지만 제주의 마당굿 전문 집단이 한 군데밖에 없는 현실과 놀이패 '한라산'이 해마다 4월이면 어김없이 4·3을 다뤄온 탓에 어쩔 수 없는 결과가 아닌가 자위해본다.

3. 제주 마당굿을 전망하며

마당굿의 태동이 전통문화의 창조적 계승에 있고, 지역 또는 민족의 전통을 말살하려는 다른 세력에 대한 되받아치기가 그 생명이라면, 이 글을 쓰고 있는 현재적 관점에서 제주의 마당굿을 전망해보건대, 그야말로 백척간두요 풍전등화가 아닐 수 없다. 분배보다는 성장을 내세우고 고용 안정보다는 노동의 유연성을 강조하는 현 정권의 속성이, 성장보다는 나눔과 평등을, 노동의 유연성보다는 노동자, 농민으로 대표되는 이 땅의 민초들의 삶을 지향하는 마당굿에 대해 어떤 시각을 가질 것인지는 굳이 물어볼 필요조차 없기 때문이다. 그렇다고 보다 나은 세상이 오기를 막연히 앉아서 기다릴 것인가? 이건 아니다. 이건 그야말로 마당굿의 정신에 맞지 않기 때문이다. 중앙집권적 관료 사회에서 비민주적인 독재 정권으로 이어지는 동안 마당굿은 끊임없이 저항하여왔고 그 저항의 결과 이만큼 성장했음을 돌이켜보건대 지금 이 시점이야말로 역설적이게도 마당굿을 필요로 하는 시대라는 것이다. 그렇다면 마당굿의 초창기로 되돌아가자는 것인가? 한편으론 맞는 말이지만 또 한편으론 그렇지도 않다.

시간의 나이테가 반복되면서 역사는 만들어진다. 제주 마당굿은 30년이라는 나이테를 갖고 있는 것도 사실이지만 또한 마당굿을 둘러싼 지형이 많이 변한 것도 사실이다. 1980~1990년대에 마당굿을 함께했던 동지들이 지금은 곁에 없다. 마당굿을 만들던 동지들도 이런저런 이유 때문에 판을 떠났고, 추임새를 넣고 더불어 어깨동무하던 벗들도 떠났다. 그렇다고 후배들이 선뜻 '한번 같이 놀아봅시다' 하고 마당 판을 찾을 것 같지도 않다. 지금 바로 이 자리가 제주 마당굿이 서야 할 자리다. 상대적인 것들에 대한 평가에 앞서 우리 자신을 겸허하게 돌아보면서 서야 할 자리라는 것이다.

지금까지 우리의 마당굿이 그 본원적인 놀이 정신, 다시 말해 '열림과 닫힘', '맺힘과 풂', '삭임과 내지름'에 충일하였는가. 비록 나락 같은 절망으로 치닫는 상황이지만, 한번 비틀고 슬쩍 눈웃음치는 여유를 가질 수는 없었는가. 굿의 역사가 반만 년인데 마당굿은 언제까지 함께 이어갈 수 있을 것이며 그 주체는 누구라야 하는가.

주제넘은 소리가 나오는 걸 보니 글을 마칠 시간이 된 것 같다.

마당굿운동의 초창기에 심부름하던 막내가 어느덧 선배 소리를 듣는 처지가 되어 훈수를 둔답시고 꺼낸 이야기가 오히려 열심히 판을 지키고 있는 후배 일꾼들의 고민을 어지럽힌 건 아닌가 하는 노파심만 남는다.

이 글을 안주 삼아 못다 한 이야기를 서로 나눌 그날을 기다리며 초라한 글을 맺는다.

더불어
곶자왈과 함께
사는 법

1. 넋두리

먼저 드려야 할 이야기가 있습니다. 저는 곶자왈에 대해 아는 게 별로 없습니다. 제주도민이라면 혹은 곶자왈에 대해 조금이라도 생각을 해본 사람이라면 누구나 가지고 있는 일반적인 생각, 다시 말해 곶자왈은 더 이상 훼손되어서는 안 되고, 온전하게 우리 후손들에게 대물림되어야 한다는 생각 정도입니다. 곶자왈을 훼손하는 현장에서 앞장서 싸운 경험도 없고 곶자왈에 대해 도드라진 글을 남긴 기억도 없습니다.

그런 저에게 곶자왈과 관련된 토론회에 참석하여 이야기를 해달라는 청탁을 받았을 때, 정중하게 거절하고 양해를 구했어야 했는데 그러지 못하고 지금 이 자리에 엉거주춤 앉아 있습니다. 상황이 이렇다 보니 괜히 여러분들의 소중한 시간만 뺏는 것은 아닌지 하는 생각을 지울 수 없습니다.

그러니 지금부터 제가 하는 이야기는 곶자왈에 대한 학술적인 또는 전문적인 견해가 아니라 곶자왈이 보전되고 영속되었으면 하는 제주도민 한 사람의 넋두리 정도로 여겨도 좋을 듯합니다. 조금 더 욕심을 낸다면 제주에서 나고 제주에서 자란 한 시인이 횡설수설 풀어내는 곶자왈에 대한 이야기라고 생각해주시면 고맙겠습니다. 우선 졸시 세 편을 소개하면서 이야기를 풀어보겠습니다.

2. 곶자왈에서 훔친 시

1)

바람붓으로
노랫말을 지으면
나무는 새순 틔워
한 소절 한 소절 받아 적는다

바람 끝이 바뀔 때마다
행을 가르고
계절이 꺾일 때마다
연을 가른다

이른 아침
새가 노래한다는 건
잠에서 깬 나무가
별의 시를 쓴다는 것

지상의 모든 나무는
해마다 한 편의 시를 쓴다

—졸시, 「나무의 시」 전문

바람에 나무가 반응을 한다는 것은 나무가 그 바람을 기억하는 한 방식일 겁니다. 그렇기 때문에 나무는 제 몸을 스치는 바람의 노래를 한 소절도 놓치지 않고 여린 가지에 혹은 나무줄기에 새깁니다. 날이 가고 달이 가면 행을 바꾸고 계절이 바뀌면 연을 가릅니다. 어느 날 새 한 마리가 나무에 앉아 노래합니다. 나무가 쓴 시를 새는 정성을 다해 노래합니다. 나무는 바람에 대해서만 시를 쓴 게 아니라 밤하늘에 떠 있는 별에 대해서도 쓰고 있습니다. 새가 노래하지 않았다면 인간은 영원히 알 수 없는 비밀입니다. 그렇게 한 해가 지나면 나무는 제 몸 속에 한 편의 시를 새겨 넣습니다. 소위 인간들이, 나이테라는 아주 무미건조한 언어로 기억하는 것이 바로 나무의 시(詩)지요.

다시 말해 한 그루의 나무는 바람의 시인이고 별의 시인입니다. 어떤 시인은 이미 백 편이 넘는 시를 썼고, 어떤 시인은 이제야 시를 쓰기 시작합니다. 그러므로 우리가 곶자왈에 든다는 것은 수천수만의 시인들과 어깨를 나란히 하고 그네들끼리 주고받는 이야기를 엿듣는 것이며 소위 인간 사회에서 시를 쓴다는 것은, 잘 알지도 못하면서 그네들의 이야기를 흉내 내고 있을 따름입니다. 때로는 그럴듯하게 때로는 아주 어설프게 말입니다.

2)

뾰족한 날엔 동백의 숲으로 가자
사위 하얗게 덮여도
활엽의 푸르른 것들이
싱그럽게 살아 숨 쉬는 곶자왈
아는 사람은 알고
모르는 사람은 모르는 거기

번잡한 마음일랑 먼물깍에 씻고
어린 콩짜개난들이 인사하는 숲에 들어
하얀 눈길 걷다 보면
상처 입은 노루의 핏자국 같은
동백의 마음을 읽게 될지니

잠시 몸을 낮추고 들여다보면
붉은 그 마음 거기 있으리니
꽃의 혓바닥에 입맞춤하시라
한때 꽃이고 싶었고
언젠가 이렇게 지고 싶었다는 말은
가만 가슴에 묻으시라

그대 어깨 위로
꽃 지고 다시 피어도
마음 붉은 사람은 숲에 들 수 있으니
나오는 길은 잠시 잊으시라
눈은 내리고 내려
그대 흔적 위에도 내릴 것이니

— 졸시, 「곶자왈 동백」 전문

어느 겨울 눈 내린 아침 선흘곶자왈을 찾았습니다. 문득 붉은 동백을 따스하게 덮고 있을 눈 덮인 곶자왈 풍경이 보고 싶었지요. 듬성듬성 노루 발자국은 있었지만 다행히 사람 발자국은 없었습니다. 곶자왈 산책로 중간 지점에서 한참을 보냈습니다. 눈 위에 떨어진 동백과 낯선 이방인에 놀란 눈동자를 하고 바라보는 노루와 눈 맞춤을 하고 있는데 바람 한 점 없는 하늘에서 눈은 하염없이 내리고 내려 이미 내가 남긴 발자국에도 눈이 쌓이고 내 어깨 위에도 눈이 내려 어느 순간 나는 흔적도 없어지는 것이 아닌가 하는 묘한 생각에 잠겼더랬습니다. 곶자왈에겐 염치없는 소리지만 순간 나도 그 자리에서 곶자왈의 일부가 되고 싶었습니다.

3)

뿌리 드러내 쓰러진 나무를 본다

수직의 긴장을 견디지 못한 탓이다

땅덩어리에 선 마지막 직립보행들아

하늘의 눈으로 보면

태평양 어디에 있다는 그 깊은 바다도

지구 배꼽에 고인 물이다

지상 어디에 있다는 그 높은 산도

지구 이마에 난 여드름이다

곶자왈 속에 들면 너는

없는 듯 있다

있는 듯 없다

하늘의 눈으로 보면

— 졸시, 「곶자왈에서」 전문

'옴파로스(omphalos)'라는 말이 있습니다. '배꼽' 또는 '세계의 중심'으로 쓰인다 합니다. 저는 곶자왈을 떠올리면서 이 '배꼽'이라는 말에 유난히 시선이 갑니다. 아시다시피 '배꼽'은 '배의 복판'이라는 뜻의 '배복'에서 온 말이지요. '배복'에서 '복'이 음운도치를 일으키면서 '곱'으로 변하고, '배곱'으로 쓰이다가 '배꼽'으로 변한 말입니다. 그런데 이 '배꼽'이 왜 '중심'이라는 말과 통하게 되었을까요? '중심'에는 '中心'과 '重心'이 있는데, 물리학에서 말하는 '무게의 중심'은 '重心'이고 '사물의 한가운데' 또는 '매우 중요하고 기본이 되는 부분'은 '中心'입니다. 그러니 배꼽은 '中心'입니다. 다시 말해 생명의 중심입니다.

3. 제주의 배꼽, 곶자왈

모태(母胎)를 기반으로 하는 모든 생명체는 배꼽을 가지고 있습니다. 배꼽은 바로 어머니로부터 뼈를 받고 살을 받고 숨을 받은, 봉인된 생명 줄의 흔적이기 때문입니다. 그러니 배꼽은 지금의 나를 존재하게 하는 생명의 근원입니다. 그렇지만 배꼽은 인체의 중심 기관인 오장육부에 해당되지 않은 것으로 보아 독립된 생명체를 유지하는 데 필수적인 요소라고 볼 수도 없는 것 같습니다.

이제 화제를 곶자왈로 옮깁니다. 곶자왈의 가치에 무관심하던 시절, 곶자왈은 그저 농사도 지을 수 없는, 다시 말해 사용가치도 없고 교환가치도 없는 버려진 공간에 불과했습니다. 그러다 보니 제주의 개발 과정에서 무차별적인 훼손을 감내할 수밖에 없었고 그 무렵 육지로부터 몰려오는 마구잡이식 투기 자본에 곶자왈은 점점 무너지고 말았고, 개발이라는 미명 아래 곶자왈은 중환자실에 누워 힘겹게 생명을 연장할 수밖에 없었던 게 바로 엊그제의 일들입니다.

그 무렵 곶자왈을 생각하는 제주 섬사람들과 연구자들에 의해 곶자왈의 가치와 소중함이 새롭게 인식되기에 이릅니다. 다시 말해 '생활공간'으로서의 곶자왈이 아니라 '생존의 시원'으로서의 곶자왈로 다시 가치 매김하게 됩니다. 한라산 등허리를 타고 흘러내린 물이 화산 암반층을 거쳐 마침내 곶자왈에 이르면서 저장되고 정수되면서 바다로 둘러싸인 섬사람들의 생명수가 된다는 것을 깨닫게 된 것이지요. 어디 인간들에게만 생명을 불어넣었겠습니까? 그 물은 곶자왈의 푸르름을 사철 푸르게 하고 그 푸르름은 또한 온갖 살아 있는 생명체들을 키웠고, 오름과 오름 사이를 지나면서 척박한 대지를 흥건히 적셔주고 있었다는 것입니다.

우리 몸은 7할이 물로 이루어졌다 합니다. 만약 그 물이 인체를 빠져나와 탈수증을 일으키게 되면 의식을 잃거나 심하면 목숨을 앗아간다 합니다. 우리 몸의 7할에 해당하는 물의 원천이 바로 곶자왈과 무관하지 않다는 것은 우리로 하여금 곶자왈의 가치를 새롭게 합니다. 과장해서 표현하면 내 몸의 7할은 다름 아닌 곶자왈인 셈입니다. 다시 말해 곶자왈이 훼손되거나 더 이상 제 구실을 못하게 되면 이는 단순한 곶자왈의 문제가 아니라 지금 제주에 생명의 젖줄을 대고 살아가는 오늘의 우리들과 앞으로 살아가야 할 내일의 우리들 모두에게 절박한 문제가 아닐 수 없습니다.

다시 배꼽과 연관된 이야기 한 가지만 덧붙이겠습니다. 제주의 신화나 전설, 혹은 옛 촌로들의 이야기를 귀담아듣다 보면 '태순땅'이라는 말을 접하게 됩니다. '태(胎)를 사른 땅'이라는 의미인데, 옛날 우리 섬에서는 아이가 태어나면 그 태를 잘라 불에 사른 다음 그 재를 올레 밖 삼도전거리에 묻었다 합니다. 내 탯줄을 묻은 땅, 그 땅에서 어린 시절 자치기며 공기놀이를 했고 시집 장가를 갔으며, 밭에 일을 하러 갔고, 물질 갔다 어스름에 돌아오던 그 땅이지요. 결국 내가 죽어 돌아가야 할 영원의 공간이기도 했지요. 다시 말해 내가 곧 땅이고 땅이 곧 나였기에 땅은 그 어떠한 교환가치나 사용가치로도 환원할 수 없는 살아 있는 생명 그 자체였지요.

곶자왈 또한 '태손땅'과 전혀 다를 바 없다고 생각합니다. 왜냐하면 곶자왈이 곧 섬사람의 생명 줄이었고 그 생명이 태어나 탯줄을 묻은 땅이 '태손땅'이며 그 태가 내 몸에 봉인된 흔적이 바로 배꼽이기 때문입니다.

그러나 안타깝게도 제주땅은 물론 곶자왈도 외부 자본의 횡포에 속수무책이었습니다.

물론 자본주의 구조에서는 어차피 자본을 중심으로 이루어지게 되어 있고 또한 그것을 통하여 운영될 수밖에 없으며 따라서 자본주의경제의 모든 문제는 결국 자본의 문제로 귀착됩니다. 그렇다면 자본의 본질적 의미를 생각하지 않을 수 없습니다. 자급자족 경제체제에서의 자본(capital)은 집에서 기르는 가축, 이를테면 양이나 염소의 머리를 뜻하는 의미에서 출발합니다. 그러니까 집에서 기르는 양이나 염소의 머릿수가 많으면 자본이 많은 것이고 머릿수가 적으면 자본이 적은 것이지요. 가축을 기르는 주인의 노력으로 새끼 양이나 새끼 염소가 태어나면 자본이 불어나는 것이지요. 즉 자본의 본질적 의미는 가축의 머리, 다시 말해 '살아 있는 생명'에서 비롯되었는데, 물물

교환 경제를 지나 그 자리를 화폐가 대신하면서 자본은 더 이상 살아 있는 생명이 아니라 한갓 지폐 혹은 동전을 통한 교환가치만 남게 됩니다. 양이나 염소와는 달리 지폐나 동전은 생명체가 아니기 때문에 머릿수 즉 자산 증식이 불가능합니다. 그 대리모 역할을 하는 게 다름 아닌 금융자본이지요. 양과 양, 염소와 염소가 만나 새끼를 낳듯이 화폐와 화폐가 만나 새끼 화폐 즉 잉여 자본을 증식하는 자본 구조로 바뀌다 보니 우리에게 허파 구실을 하고 생명수를 제공하던 곶자왈이나, 인간의 생명과 구분하여 생각할 수 없었던 '태슨땅'이 그 사용가치를 상실하고 오로지 교환가치로서의 투기 대상으로 전락하고 맙니다.

말이 길어졌습니다만, 요점은 자본의 근본 의미는 곧 생명과 다름 없다는 것, 그렇기 때문에 모든 섬사람들에게 생명의 젖줄을 대고 있는 곶자왈이야말로 제주섬 최고의 가치요 생명이라는 점을 강조하고 싶습니다. 돈을 땅에 심으면 돈이 나지 않지만 곶자왈은 수천 년 동안 인간의 도움 없이 제 스스로 꽃을 피우고 열매를 맺고 다시 씨가 땅에 떨어져 새 생명을 키우면서 오늘에 이르렀습니다. 스스로 가치를 증식해온 겁니다. 그렇게 증식된 가치로서의 곶자왈은 섬사람들에게 맑은 공기와 깨끗한 생명수를 아무 조건 없이 제공하고 또 제공해왔던 것입니다. 화폐로 환산할 수 없는 소중한 가치를 말입니다.

이렇듯 '아낌없이 주는 나무' 곶자왈에 대해 직립보행하면서 손으로 도구를 사용하는 인간들이 한 일은 단 한 가지, 곶자왈을 모지락스럽게 짓밟고 훼손한 일밖에 없습니다. 가끔 숲길을 걷다가 나무판에 새겨진 '자연보호'라는 글자를 만납니다. 한마디로 뜨악합니다. 제 생각이 지나친 외곬인지 모르겠으나 인간이라는 종(種)이 지구상에 등장한 이래 자연은 한결같이 인간을 보호해왔지만 인간은 한 번도 자연을 보호한 적이 없습니다. 인류 문명의 발달사는 자연환경의 파괴사와 동전의 양면이었고 앞으로도 그러한 관계는 변화할 조짐이 없으니까요. '자연보호'라고 새겨진 그 팻말 또한 인간에 의해 도륙되기 전까지는 아마도 아름드리 자연의 일부였을 겁니다.

4. 내 마음의 텃밭, 곶자왈

부끄러운 일입니다만 저 자신도 오늘의 토론을 준비하면서 '곶자왈공유화재단' 사이트에 처음으로 들어가보았습니다. 내친김에 후원회원 명단에 이름도 올렸습니다. 변명 같습니다만 그동안 곶자왈공유화재단에 무관심했던 건 제 나름으로 생각하건데 곶자왈공유화재단이 제 역할을 하지 못하고 있다는 판단도 적지 않게 작용했지요. 물론 잘못한 일만 있는 게 아니라 잘한 일도 얼마든지 있겠지요. 곶자왈의 가치를 미래 세대들에게 널리 알려 더 이상의 훼손을 방치해서는 안 된다는 교육활동을 비롯하여, 관과 민이 힘을 합쳐 사유지로 남아 있는 곶자왈을 사들여 공유화하자는 운동이 그런 것들입니다. 이러한 운동은 지속적으로 이루어져야 하겠지요.

하지만 이참에 잘 알지도 못하면서 한마디 제안을 하자면, 곶자왈 지키기 혹은 살리기 운동에 대한 인식의 전환을 주문하고 싶습니다. 어떠한 운동도 관이 주도하고 민이 따라가는 형식이 되면 그 자체가 한계일 수밖에 없습니다. 민과 관이 함께 하고 있다고 말하고 싶겠지만 민의 입장에서 보면 누가 뭐래도 관이 주도하고 민은 그저 들러리에 불과한 운동이라는 점입니다. 물론 그렇지 않다고 하겠지요. 더 나아가 공유화 기금 마련에서도 민의 참여가 미미하다고 강변할 수 있겠지요. 저도 압니다. 그러나 공유화 기금 마련에 앞서 재단의 운영 시스템을, 곶자왈과 관련된 단체들에게 다양한 교육 및 홍보 프로그램에 대한 개발과 운영을 일임하고 재단은 '재정 및 행정적 지원에 최우선을 두고 간섭을 최소화하는' 이른바 '팔걸이 원칙(Arm's Length Policy)'으로 전환하는 것을 생각해봅니다. 한마디로 제주 곶자왈의 주인은 '제주 곶자왈공유화재단'이 아니라 제주도민 모두임을 밝히고 소위 '제주도민의, 제주도민에 의한, 제주도민을 위한' 곶자왈 운동을 도민이 중심이 되어 단계적으로 '천천히 서두르면서' 구체화시켜나가자는 것입니다.

곶자왈을 좋아하지 않는 사람은 많지 않습니다. 그러나 곶자왈을 사랑하는 사람 또한 그리 많지 않은 것 같습니다. 말장난 같습니다만, 여기 '개' 한 마리가 있습니다. 그 앞에 개를 좋아하는 사람과 개를 사랑하는 사람이 있습니다. 어떤 차이가 있을까요? 개를 좋아하는 사람은 보신탕을 좋아하는 사람으로 읽힙니다. 반면 개를 사랑하는 사람은 반려동물로서 개를 사랑하는 사람으로 읽힙니다. 벗들과 어울려 보신탕에 소주 한잔 생각이 날 때, "너, 개 좋아하냐?" 하고 묻지 "너, 개 사랑하냐?" 하고 묻지 않잖아요. 비약해서 말하면 곶자왈을 좋아하는 사람은 곶자왈 바로 옆에 혹은 그 안에 골프장을 짓고 리조트를 지을 것만 같습니다. 반면 곶자왈을 진정으로 사랑하는 사람이라면 오히려 그런 골프장이나 리조트 시설에 대해 온몸으로 반대하고 나설 겁니다. 좋아한다는 것은 막연한 관심으로도 가능하지만 사랑하다는 것은 대상을 내 안에 '모심'이며 '베풂'이며 '섬김'이기 때문입니다.

하여 저는 곶자왈에 대한 사랑법으로 '내 마음속의 곶자왈 가꾸기'를 꿈꿉니다.

서두에 배꼽을 이야기하면서 '중심(中心)'을 거론했는데 말의 순서를 뒤집으면 '심중(心中)' 즉 마음속이 됩니다. 내 생명의 '중심' 곶자왈을 내 마음의 가운데인 '심중'에 두자는 겁니다. 심중에 두는 일은 공유와는 별개의 개념입니다. 소유하지 않아도 소통과 관심이 오고가다 보면 얼마든지 마음에 둘 수 있습니다. 내 마음에 곶자왈이 들어오면 이미 곶자왈은 자연의 일부이면서 곧 나의 일부분 그것도 중심이 되는 겁니다. 그 중심을 만나는 겁니다. 그 만남의 설렘을 글이나 그림으로 또는 노래나 몸짓으로 드러내보는 겁니다. 거기에는 아름드리도 있고 수직의 긴장을 견디지 못해 드러누운 나무도 있고 이제 갓 떡잎 하나를 키운 어린 새순도 있습니다. 계절에 따라 입김이 다른 바람도 있습니다. 바람이 들려주는 노래도 있습니다. 어디 그뿐입니까? 노루도 있고 고라니도 있고, 청설모도 있습니다. 묵묵히 제자리를 지키고 있는 바위도 있고 바위와 바위 틈 숨골도 있습니다. 그들 하나하나에게 정성껏 이름을 지어주고, 욕심부리지 말고 내 마음속에 키울 수 있을 만큼만 새기는 겁니다. 내 마음속에 나만의 텃밭, 곶자왈을 키우자는 것이지요.

5. 나오며

마무리를 해야겠습니다. 앞에서도 언급했거니와 저는 곶자왈에 대한 전문가도 연구자도 아닙니다. 짬을 내어 곶자왈을 찾아 행여 그가 들려주는 노래를 만나면 어설픈 언어로 옮기는 사람입니다. 그러다 보니 제 얘기는 현실적이라기보다는 무척이나 비현실적이고 구체적이라기보다는 뜬구름 잡기식이 되고 말았습니다. 허나 옛말에 '애기업개 말도 들으라'고 했습니다.

지나온 역사가 입증하듯이 지금 우리에게 '가능한' 모든 것은 그 이전까지 절대 '불가능한' 어떤 것이라고 여겼던 데서 시작되었으며, 지금 '불가능'하다고 여기는 대부분의 것들이 머지 않은 미래에는 얼마든지 '가능'하고 너무나도 당연한 그 무엇이 되어 있을 거라는 믿음으로 제 이야기를 마칩니다. 끝까지 들어주셔서 감사합니다.

●

'존재'와 '인식'의 경계에서

○

김시종 시선집 『경계의 시』(도서출판 소화/2008)

"나는 일본어에 복수하는 심정으로, 일본어 시를 쓴다."

— 김시종

김시종 선생님께.

경칩 지나 햇봄이 저만치 다가오고 있습니다.

꽃을 시샘하는 추위가 오려는지 하늘이 낮게 가라앉고 옷깃을 파고드는 섬 바람이 만만치가 않습니다.

어찌 지내시는지요?

졸수(卒壽)를 눈앞에 두시고도 한 치 흐트러짐 없는 선생님을 뵐 때마다 까마득한 후배인 저는 늘 마음속으로 '저렇게 살 수만 있다면' 하는 생각을 떠올리곤 합니다.

건강이 좋지 않으시다는 말을 풍편에 들었습니다만 바다 건너 이국이라는 이유로 찾아뵙지도 못하고 이렇게 몇 자 올리는 것으로 송구스러운 마음을 전할까 합니다.

부디 쾌차하여 다시 만날 날을 손꼽아 기다리겠습니다.

그러니까 지난해였지요.

늦가을 무렵에 오사카에 거주하면서 소설을 쓰시는 김길호 선생님이 메일을 보내셨더군요. 선생님 일행이 제주를 방문할 계획이니 제주의 몇몇 지인들을 만나보고 싶어 한다는 내용이었지요. 너무 반갑고 고마웠습니다. 고향이나 다름없는 제주에 오면 길지 않은 일정으로 시간 내기가 여간 힘드신 일이 아닐 텐데 잊지 않으시고 챙기시는 그 마음 씀씀이에 저절로 고개가 숙여졌습니다.

그리하여 지난 해 11월 3일 선생님께서는 제주에서 저희들과 한자리를 하게 되었지요. 제가 그 날짜를 분명하게 기억할 수 있는 건 선생님께서 제게 건네준 시집 『경계의 시』(소화)에 자필로 서명해주신 날짜가 바로 그날이었기 때문이지요. 노구이시면서 건강마저 좋지 않으심에도 불구하고 선생님께서는

'한라산 소주'와 제주막걸리를 가운데 두고 문학에 대해서, 삶에 대해서, 장황하지는 않았으나 말끝이 살아 있는 언어로 저희들에게 많은 가르침을 주셨습니다.

한림대학교 일본학연구소에서 펴낸 김시종 시선집 『경계의 시』를 다시 펼쳐 들고 선생님의 약력을 봅니다.

1929년 원산에서 태어나 제주도에서 성장한 후 1949년 일본으로 건너갔다. 1953년 시동인지 『진달래』를 창간했으며, 일본어로 시 창작 및 비평, 강연 활동을 꾸준히 계속해오고 있다. 1986년 수필집 『'재일'의 틈새에서』로 '마이니치(每日) 출판문화상'을 수상했다. 시집으로 『지평선』, 『일본풍토기』, 『니가타(新潟)』, 『이카이노 시집(猪飼野詩集)』, 『광주시편』, 『화석의 여름』 등이 있다. 1991년 집성시집 『원야(原野)의 시』로 '오구마 히데오(小熊秀雄)상 특별상'을 수상했다. 일역으로 윤동주 시집 『하늘과 바람과 별과 시』, 『재역(再譯) 조선시집』 등이 있다.

선생님의 작품 세계에 대해 토를 단다는 것은 제 능력 밖의 일입니다. 다만 약력을 보면서 선생님께서 일본으로 건너가신 '1949년'이 자꾸 눈에 밟힙니다. 1949년이면 4·3항쟁의 칼바람이 소용돌이치던 세월이었고 지식인들이 어쩔 수 없이 고향을 등지고 대한해협을 건너던 시절이기도 했습니다.

시선집 『경계의 시』에 들어 있는 서문의 일부를 읽어봅니다.

> 나는 분명 역사적으로는 '8·15'를 분수령으로 옛 일본으로부터 끊어졌다. 확실히 '8·15'는 식민지를 강요한 일본과 결별하는 날이긴 했다. 그런데 일본어만은, 그 후 부득이한 일본에서의 생활과 중첩되어선지 예전의 나를 고스란히 그러안고 있다. 일찌감치 눌러앉은 나의 일본어와 고별하기 위해서, '해방'은 여전히 긴 시간을 필요로 하는 끝없는 계기 같은 것이다. 그 일본어로 나는 시를 쓰고 자신의 사념을 정착시키려 발버둥 치고 있다. (…) 잡다한 속성의 한복판에 나뒹굴어도 때 묻지 않는 서정을 어떡하든지 자신의 일본어로써 발로시킬 책무가 내게는 있다. 자신의 생장에 얽혀 있는 일본어로부터 나 자신을 해방하기 위해서다.

다시 말해 어눌한 일본어를 고수함으로써 능숙한 일본어에 길들여지지 않으려는 부단한 노력, 이로써 일본에 길들여지지 않으려는 자신에 대한 다짐이자 일본 혹은 일본어에 대한 보복임을 분명히 밝히고 있지요.

선생님의 시집 제목이기도 한 '경계'라는 말을 다시 생각합니다. 우리말 사전에는 '사물이 어떠한 기준에 의하여 분간되는 한계'라 풀이되어 있습니다. 돌이켜 보면 선생님의 삶 자체가 하나의 경계가 아니었나 하는 생각을 하게 됩니다. '조선'과 '일본'의 경계, 일본 안에서도 '민단'과 '총련'의 경계, 사회주의와 자본주의의 경계, 실존과 인식 사이에서의 경계.

시선집 『경계의 시』는 선생님의 시집 여섯 권에서 가려 뽑은 시들이 실려 있습니다. 그 가운데 한 편을 골라 읽어 봅니다.

> 길들여 익숙해진 재일(在日)에 머무는 자족으로부터
> 이방인인 내가 나를 벗어나
> 도달하는 나라의 대립 틈새를 거슬러 갔다 오기로 하자
>
> 그렇다, 이젠 돌아가리
> 노을빛 그윽이 저무는 나이
> 두고 온 기억의 품으로 늙은 아내와 돌아가리
>
> — 김시종 「돌아가리」 부분

시를 읽다 말고 선생님의 얼굴을 떠올립니다.

스무 살의 나이에 일본으로 건너가 육십 년을 살았습니다. 일본인으로 사시지 않고 '재일(在日)'을 살았습니다. 아무리 살아도 이방인은 이방인일 뿐입니다. "도달하는 나라의 대립 틈새를 거슬러 갔다 오"자고 하십니다.

'도달하는 나라의 대립 틈새'가 자꾸 눈에 밟힙니다.

선생님은 제주에서 4·3을 살다 어쩔 수 없이 밀항선에 몸을 실어 일본으로 가셨습니다. 선생님이 거슬러 가고자 한 곳은 어디입니까? 선생님 곁에 계신 늙은 아내와 함께, 두고 온 기억을 품고 있는, 돌아가고자 하는 그곳은 어디입니까?

선생님!

선생님과의 첫 만남이 새삼 떠오릅니다. 어느덧 10년이 지난 것 같습니다. 문충성 시인, 소설가 김길호 선생 등이 함께한 자리였지요. 선생님께서는 나지막한 소리로 말씀하셨지요. 언제부턴가 꿈을 일본어로 꾸기 시작했다고. 순간 소름이 돋았습니다. 그 말이 머릿속에서 지워지지 않아 선생님을 떠올릴 때마다 생각나곤 했지요. 아마 문충성 선생님도 그러셨던 것 같습니다.

오십 년 만에 제주를 찾아왔다
부모님 성묘하러
오사카에 사는 친구 文炳湜과 소설가 金吉浩 소개로
우리는 그를 만나게 되었다
4·3 때 일본으로 건너가
일본어 배우고 일본 사람 사이에서
한국인도 북한인도 아닌 조선인으로 살며

그렇다고 일본인도 아닌 칠순의 시인
그가 슬픈 건 국적이 없는 게 아니라
일본어로 시 쓰는 훌륭한 시인이지만
꿈꿀 때조차 일본어로만 꿈을 꾸는 것
한국어를 그렇게 잘 아는 그가

— 문충성, 「시인 金時鐘」 전문

선생님의 시집을 읽다가 문득 우리말로 옮긴 사람이 궁금해집니다. 소설도 아닌 시를 번역한다는 것은 여간 곤혹스러운 일이 아닐 것 같아서입니다. 또한 전혀 번역 투의 문장이 아니라는 놀라움도 궁금증을 더욱 불러일으켰습니다. 옮긴이의 해설을 읽으면서 선생님에 대한 관심과 애정의 결과물이 이러한 훌륭한 번역을 낳게 하였구나 하는 생각을 해봅니다.

김시종의 일본어와 그의 시 창작은 이제 '일본, 일본어, 일본인이란 무엇인가'라는 명제를 새로운 각도에서 그들의 시대적, 현실적 인식과 더불어 검토하게 하는 힘을 획득했다고 말할 수 있을 것이다. 나아가 그의 존재는 동시대의 세계가 안고 있는 문제성을 함께 내포하면서 우리 문학과 우리 사회를 향해 다층적이고 역동적인 관점과 사고의 틀을 제시하고 있다는 점에서 충분히 상징적이라고 할 수 있다.

—「'틈새'의 실존을 묻는다」(유숙자 해설) 중

선생님!

이제 글을 접어야 할 것 같습니다.

들리는 바에 의하면 사상과 이념을 뛰어넘는 새로운 시대의 동포 운동 '코리아 국제학원' 설립 준비의 중심에 서 계시다고 하는데 건강에 유념하시길 진심으로 바랍니다.

지난번 만났을 때, 막걸릿집에서 선생님의 시를 낭독한 기억이 새롭습니다. 저는 그 자리에서 『광주시편』에 실려 있는 「입 다문 언어 — 朴寬鉉에게」를 낭독했는데, 다음에 제주에 오시면 근간에 제가 쓴 부끄러운 시 한 편 낭송해드리겠습니다.

사모님께도 안부의 말씀 부탁드립니다.

안녕히 계십시오.

오사카 영사관으로부터 귀국 권유받은 적 있었습니다 광주항쟁 시집 준비하는 걸 알고, 방일 준비하던 전두환 쪽에서 체면이 안 섰는지, 서울에서 출판하라 압박했습니다 '제주 4·3'에서 살아남은 자로서 그렇게 할 수 없었습니다

김영삼 때, 서울문학인대회 초청받았는데, 영사관에서 '다음 방한에는 한국 국적으로 바꾼다'는 서약서 강요했습니다 조선

적(朝鮮籍)이던 나는 거절했습니다 주최 측 노력으로 어찌어찌 참가는 했지만, 행선지는 서울로 한정되었습니다

4·3 진상규명에 나선 김대중 대통령 때에야 조선 국적 임시 여권으로, 1949년 도일(渡日)하고 처음으로, 처음으로 제주에 올 수 있었습니다 항쟁 당시 희생된 동지들 뵐 낯이 없어 마음 무거웠는데, "어서 오세요" 조카딸이 울먹이며 나를 안아준 게 구원이었습니다

무성한 가시덩굴 안쪽 무덤 두 개 나란히 웅크리고 있었습니다 돌아가신 지 40년 된 양친입니다 처음 뵈었습니다 무릎 꿇고 송아지처럼 울었습니다 남은 인생, 해마다 성묘하고 싶어 2003년 한국 국적 취득했습니다 그해 취임한 노무현 대통령, 제주 4·3을 '국가권력의 잘못'이라 인정하고 공식 사죄했습니다

일본으로 건너간 지 반세기, 제주는 참 멀었습니다
달보다 먼 곳이었습니다

— 졸시, 「달보다 먼 곳」 전문

"아첨하지 않고, 붙좇지 않고, 휩쓸리지 않으며,

그래서는 안 되는 일에 절대 가담하지 않는 의지와 자기성찰,

그 속에서 싹트는 시야말로 마땅히 있어야 할 시라고 나는 믿습니다."

— 김시종

●

이내 먹먹해져서

눈물이

그렁그렁해져서

○

제주현대미술관 2020 지역 네트워크 교류전
〈각별한, 작별한, 특별한〉 박정근 작가

사진 하영 찍으면 넋 나간 덴 허는디

내 할머니는 평생을 혼자 사신 분이다.

아버지를 낳으시고 청상은 아니지만 무슨 연유에서인지 소박데기로 여생을 사시다 가셨다. 할머니 살아생전에 잊히지 않는 한 장면이 있다. 할머니가 사시던 시골집 마당이었다고 기억하는데 할머니는 한복을 곱게 차려입으시고 어색하게 사진기 앞에 앉으셨다. 돌이켜 생각해보니 영정 사진을 찍는 자리가 아니었나 싶다.

코카콜라를 '검은술'로 기억하시는 할머니 살아생전에 사진 속에 담길 일이 몇 번이나 있었겠는가. 할머니는 사진을 찍는 내내 부끄럽고 불편해하셨다. 아버지께서는 사진기를 눌러대면서, 사진을 찍어둬야 나중에 손자들도 얼굴을 기억하고 식게 멩질에도 할머니 얼굴 한번 볼 수 있지 않겠냐고 어르고 달래면서 카메라 셔터를 눌렀지만 그때마다 할머니는 어색한 듯 수줍은 듯, 한 소리를 하셨다.

"사진 하영 찍으면 넋 나간 덴 허는디…."

지금은 할머니의 기제사를 내가 모시고 있는 탓에 그때 그 한 장의 영정 사진이 늘 내 방 한 편에 놓여 있어 할머니 혼이 담긴 얼굴을 마주 대하곤 한다.

요즘 젊은 친구들이야 스마트폰이다 뭐다 해서 사진 찍는 일을 손바닥 뒤집는 것보다 쉽게 폰에 담고, 그보다 더 쉽게 삭제하고 말지만 할머니 시대의 사진 한 장 찍는 일은 혼을 나누어 갖는 일과 다름 없었던 것이다.

누군가와 혼을 공유하는 일, 참 서늘하면서도 묵직한 일이 아닐 수 없다.

할머니식으로 사유하면, 내가 나무를 찍는다는 일은 나무의 영혼을 잠시 내 안에 들이는 일이 되는 것이고, 내가 내 친구의 사진을 찍으면 그 친구와 내가 둘이 아닌 하나가 되는 셈이다.

증명사진을 찍거나, 아니면 장수 사진 혹은 영정 사진을 찍는다고 가정하면 더욱 분명해진다. 찍는 사람과 찍히는 사람 사이에는 사진기라는 매개가 있지만 잠시 상상 속에서 사진기를 지워버리면 비록 짧은 시간이지만 그 둘 사이에 대체 무슨 사연이 놓여 있길래 그렇게 진지하게 마주 보면서 시간과 공간을 공유하고 있는 것일까? 대체 사진을 찍는 사람들은 사진을 찍히는 사람들의 어디를 보면서 무엇을 찍고 싶어 하는 것일까?

삼촌, 여기 보십서, 웃으십서

박정근 사진작가를 나는 잘 알지 못한다.

사람에 대해서도 아는 바 없고, 더욱이 사진에 대해서라면 문외한인 내가 왜 이런 글을 쓰고 있는지 모르겠다. 어쨌거나 내가 쓰겠다고 수락을 했으니 쓰고 있을 터인데, 이쯤에서 건방진 얘기 한마디 하자면, 제주의 예술판에서 적지 않은 시간을 보낸 나로서는, 장르를 불문하고 만약 내가 일말의 도움이 된다면 염치 불고하고 디딤돌로 쓰라는 흰소리를 술자리에서 하고 다닌 적이 있었다. 아마 그런 자리에 그가 있었고 그런 인연으로 이 글을 쓰고 있는 게 아닌가 한다.

따지고 보면 전혀 일면식이 없는 것은 아니다. 2018년, 그러니까 제주 4·3 70주년으로 거슬러 올라간다. 제주4·3평화공원 추모 공간에서는 희생자 명부에 오른, 1만4000명이 넘는 억울한 원혼을 위무하는 해원상생굿이 장장 일주일에 걸쳐 치러졌다. 그야말로 일뤠굿인 셈이다. 굿이 이루어지는 제청 옆으로 부스가 줄지어 설치되었는데 그중 한 부스의 현수막이 시선을 끌었다. '옛날사진관'.

안으로 들어서니 소박하게 꾸려진 이동식 사진관의 구색을 갖추고 있었다. 마침 안면 있는 후배가 있어 후미진 자리에 앉아 잠시나마 '옛날사진관'을 훔쳐볼 수 있었다. 띄엄띄엄 부스를 찾는 '손님'들이 있었다. 혼자 오시는 손님도 있었고, 벗인지 궨당인지 두어 명이 들어오시기도 했다. 부부지간인지 남녀가 같이 들어오는 경우도 더러 있었다. 한 가지 공통점이 있다면 초로인생을 뒤로 하고 노을 지는 저녁의 들녘을 아슴하게 바라보는 연배의 어르신들이었다는 점이다. 4·3 관련 행사장을 두루 다녀본 사람이라면 단박에 알아차릴 수 있는, 희생자 유족분들이시다.

그런데 카메라 앞에 앉은 사람들 손에 화이트보드가 들려 있는 게 눈에 띄었다. 나중에 사진이 인화되면 돌려드리기 위해 연락처를 포함해서 돌아가신 희생자들에게 남기고픈 한 마디를 적는 용도였다. 이승에서 못다 한 한마디를 적는 일이 어디 쉬운 일인가? 고민 고민하시다가 쓰고 지우고 다시 쓰고 지우기를 수차례 반복하신 다음에야 화이트보드를 가슴에 안고, 어디에다 시선을 둬야 할지 몰라 고개를 숙이거나 눈을 감아버리는 일을 반복하면서 사진을 찍는 모습을 먹먹하게 지켜보았다.

앉아 있기가 여간 불편한 게 아니었지만, 사진에 찍히는 사람과 사진을 찍는 사람을 동시에 바라볼 수 있는 우연치 않은 기회를 맞아 민망함을 무릅쓰고 꿔다 놓은 보릿자루처럼 망연하게 앉아 있었다.

그런데 셔터를 누르는 사람이 연신 "삼촌, 여기 보십서, 웃으십서"를 반복한다.

아니, 무슨 돌잡이를 들고 어르고 달래면서 사진을 찍는 것도 아니고 나이 드신 어르신들을 앉혀놓고, 그것도 '조반상 받아 들고 잠시 갔다 온다는 게 영영 저승길이 되어버린' 희생자 유족들에게, '간 날 간 시를 몰라 난 날 난 시에 메를 올리는' 희생자 유족들에게, '살아생전에 얼굴 뵌 적이 없어 꿈에 다녀갔는지조차 모르겠다는' 희생자 유족분들에게 '웃으라니', 대체 이건 뭔 소린가?

그때 유족들 앞에 서서 셔터를 누르면서 여기 보시라고, 웃으시라고 반복해서 말하던 그 사람이 바로 박정근이었다.

박정근은 그날을 이렇게 회상한다.

제주에 오면 보통 많이 듣게 되는 것이 4·3이죠. 저도 2012

년에 처음 제주에 내려오면서 자주 듣게 되었어요. 그전에 선배들 사진을 통해 어느 정도 알고는 있었고요. 그러던 중 4·3 70주년을 맞아 7일간에 걸친 해원상생굿이 대규모로 진행될 때 '옛날사진관'이라는 프로젝트에서 유족의 초상 사진을 찍는 사진작가로 참여하게 되었어요.

우연히 참여했는데 마치고 보니 300명이 넘는 유족들의 입에서 한 올 한 올 풀려나오는 기억과 한탄의 실타래를 제가 어느덧 마주하고 있더군요. 유족들이 희생자에게 보내는 짧은 글에 담긴 비애는 제가 감당하기엔 너무 힘들고 묵직했죠.

일주일 동안 고승욱, 박선영 작가와 서로 역할 분담을 하여 기록을 했는데 작업을 모두 마치고 나니 각자 무언가를 하나씩 손에 들고 있게 되었어요. 작업이라는 게 열심히 기획을 하면서 시작되는 경우도 있지만 우연한 기회에 이렇게 훌쩍 진행되는 경우도 있더군요.

이내 먹먹해져서, 눈물이 그렁그렁해져서

그의 이번 전시는 그 연장선에 있다.

기본적으로 4·3 70주년 행사에서 촬영한 300분의 어르신 중 그 일부를 추려내어 다시 연락을 드렸고, 그분들이 사시는 마을, 이를테면 북촌리, 의귀리, 고성리, 가시리 등 마을 경로당에 간이 사진관을 마련하고 인터뷰와 함께 100여 분 정도의 초상 사진을 더 찍었다.

그 사진들을 7미터 높이의 벽에 100×140cm 정도의 크기로 모자이크처럼 걸어 사람들의 얼굴 표정을 읽을 수 있게 준비한 게 이번 전시의 주요한 콘셉트인데, 한 가지 추가된 게 있다면, 비록 일부이지만 그 무지막지한 70년 세월을 때로는 버팀목이 되고, 때로는 목발이 되고 때로는 의족이 되어 함께 그 험한 세월의 강을 굽이굽이 휘이휘이 건너 '살단보난, 살암시난' 마침내 여기까지 오신 부부 사진을 새로 준비했다는 점이다.

사진을 찍으면서 작가는 무슨 생각을 했을까?

> 사진하는 사람이 앵글 앞에 선 사람을 보면 수평도 잡고 어른의 삐뚤어진 몸을 바로 잡으려고 노력하게 되는데, 촬영을 하면 할수록 참 부질없다는 생각을 하게 되었어요. 삐뚤어지고 거친 저 표정, 저 손, 저 몸이 다름 아닌 4·3 70년을 아로새긴 그분들만의 문장(紋章)이란 생각을 하게 되면서 할머니 할아버지께 드리던 '주문'의 말씀은 점차 줄어들고 나중에는 이야기만 듣게 되더라구요.

카메라 앞에 선 두 분 또한 부부임에도 불구하고 서로 사진을 찍어본 경험들이 별로 없으셔서 굉장히 불편해하시는 모습들을 그냥 담았어요. 배경은 그분들을 위로하는 장소이거나 인생에 기념이 될 만한, 남기고 싶은 장소들인데 그분들께서 직접 정했구요. 학교 운동장 세종대왕상 앞, 국가유공자비 앞, 마을 초등학교 등 어른들께서 자신만의 특별한 장소를 정해 주시면 그곳에서 찍었어요. 그분들만의 70년 세월이 아로새겨진 일종의 문신 같은 공간이잖아요. 저는 그냥 찍기만 했어요.

일상이 깃든 공간을 찍으면서, 이분들이 그 큰 비극을 겪으시고도 일상을 지키신 힘에 대해 이야기하고 싶었어요. 4·3 당시에는 세상에서 가장 말도 안 되는 일이 평소처럼 밥 먹고 맛난 과일 찾아 먹고 하는 게 아니었을까요? 그걸 홀로, 그리고 결혼 후에는 부부가 서로 버팀목이 되어주며 70년을 지키신 거잖아요. 뉴스나 신문을 봐도 4·3 하면 보통 유족들이 우는 모습만 나오더라구요. 이렇게 아픔을 부각시키느라 의도치 않게 묻혀버린 그 70년의 일상에 카메라로 빛을 비추고 싶었던 것 같아요. 돌이켜보면 부질없는 생각이기도 하지만….

제주에서 해마다 열리는 4·3사진전을 부러 찾아가곤 하는데 왁자한 오프닝은 가능한 피하고 오롯하고 조용한 시간에 전시 공간을 찾는 버릇이 있다. 전시된 사진의 이면에 감춰진 것들과 만나기 위해서다.

북촌 팽나무가 찍힌 사진 속에선 어김없이 한겨울의 맵찬 바람 소리가 귓전을 때린다. "살려줍서, 살려줍서" 외자기는 어머니들의 목소리가 선연하다. 차고 날카로운 금속성의 쇳소리도 들린다. 쇳소리가 잠시 쉬어갈 즈음 까옥까옥 까마귀의 검은 날갯짓 소리가 들린다. 옴팡진 밭을 찍은 사진에서는 피비린내가 난다. 멜젓 썩는 냄새가 코를 찌른다.

박정근의 전시물, 초상(肖像)들에서는 외로움이 물씬 풍긴다. 어린 나이에 영문도 모른 채 부모를 잃은 외로움! 어찌 그 깊은 슬픔을 헤아릴 수 있으랴. 그들의 용모에서 그의 어머니를 만난다. 그의 아버지를 만난다. 그의 삼촌을 만나고 어린 누이를 만난다. 사진은 한 장이지만, 결코 한 장이 아니다.

그 사진 속에는 아버지와 어머니와 누이와 삼촌이 겹쳐 있다. 어머니의 울부짖음이 있고 아버지의 통곡이 있고, 삼촌의 뒤집힌 눈망울이 있고, 누이의 숨넘어가는 비명 소리가 있다. 잠시 눈을 감는다. 다시 눈을 떠 사진에 눈길을 준다.

그가 보인다. 사진 속, 지금의 그녀가 보인다. 차마 언설로 다하지 못할 70년의 나이테가 보인다. 70년 동안 흘린 눈물 자국이 보인다. 한때 가족이 희생되었다는 이유만으로 주변의 손가락질을 받아야 했던 그와 그의 가족이 보인다. 앞에서 끌어주고 뒤에서 밀어주면서 함께 삶을 지탱해온 가족이 보이고, 그들의 어린 손자 손녀들이 어룽거린다. '살암시난 살아진' 어느 집안의 굴곡진 가계(家系)가 보인다.

다시 사진을 본다. 그들의 눈부처에 사진을 찍는 작가가 보인다.

입으로는 '여기 보시라, 웃어보시라' 하지만 이내 먹먹해져서 눈물이 그렁그렁해져서 더는 말을 잇지 못하고 더듬더듬 셔터에 손을 올리는 박정근이 보인다. 그의 미세한 손 떨림이 보인다. 들릴 듯 안 들릴 듯 그의 숨소리가 들린다.

충북 음성이라는 작은 시골 마을에서 태어나 한 반에 스무 명도 안 되는 작은 학교에 다니는 어린 학생이 보인다. 담임선생님이 취미 삼아 사진 찍는 모습을 지켜보면서, 저거 참 재미있겠다고, 나도 커서 한번 해보고 싶다고 마음먹는 어린이가 보인다.

고등학교 2학년 무렵 우연히 들른 서점에서 사진 관련 잡지를 뒤적거리다가 사진학과가 있다는 걸 처음 알고 서울로 올라가 사진을 공부하게 된 아이가 보인다.

어려서부터 고향 마을 충북 음성의 꽃동네라는 천주교 장애인시설에서 봉사활동을 하는 아이가 보인다. 불편한 그들을 카메라에 담는 젊은이가 보인다. 단지 카메라에 담는 일만이 아니라 미주알고주알 그들의 이야기를 귀담아들어 주고 차곡차곡 기록하는 그가 보인다.

우연한 기회에 제주로 흘러 들어와 저승 가서 돈 벌어 이승에 사는 새끼들 먹여 살리는 해녀 할머니들의 일상을 카메라에 담는 그가 보인다. 제주 현대미술관에서 레지던시에 참여한 그가 보인다.

생각해보면 4·3 희생자 유족들이나, 이승과 저승을 넘나드는 해녀 할머니들이나 몸과 마음이 아픈 장애우들이나, 민초들은 역사를 따로 배우지 않는다. 그들의 삶이 곧 역사이기 때문에 굳이 역사를 배울 필요가 없다.

저들의 삶이, 저들의 표정이, 저들의 이목구비가 제주의 역사요 우리의 현대사다. 저들의 삶을 이해하는 것이, 저들의 표정을 읽어내는 것이, 저들의 이목구비에서 저들의 혼을 찾아내는 것이 나의 역사요 우리의 현대사다. 하여 박정근의 사진은 제주의 역사요 우리 시대의 '지금, 여기'와 다름 없다.

우리는 얼마만큼 자유로운가

베트남을 여러 차례 다닌 적이 있다. 베트남 통일전쟁 당시 한국군에 의한 민간인 학살 현장을 둘러보기 위해서다. 너무 끔찍하고 너무 아프면 말이나 글로 표현할 수 없다 했던가. 바로 그런 곳이었다. 그렇다면 그 끔찍한 현장에서 우린 자유로운가? 그렇지 않다.

4·3이 채 끝나기도 전에 벌어진 한국전쟁에서 자신이 또는 우리 가족이 빨갱이가 아님을 입증하기 위해 전장으로 달려간 우리들이 있다. 뿐만 아니다. 물론 생계의 연장이기도 하지만 남의 나라 전쟁에 동원된 베트남 파병에서 마을을 불태우고 양민을 죽이는 혁혁한 공을 세운 우리는 얼마만큼 자유로운가?

나는 그곳에서 살아남은 자들의 증언을 들었다. 민간인 희생자 유족들의 절절한 표정을 보았다. 그런데 이번 박정근의 사진 속 표정에서 다시 그들을 만난다.

그와 관련하여 베트남에서 쓴 부질없는 시 한 편 소개하는 것으로 이 글을 마치고자 한다.

1

1968년 정월 24일 베트남 하미마을

대한민국 청룡부대

가가호호 구석구석 찾아 들어가

마을 주민 30가구 135명 몰살

모래와 뒤섞인 시신에는 마른 피 고여 있었고

어린 아기는

차갑게 식은 어미의 배에 기어올라

영문도 모른 채 젖을 찾았다

화염에 익은 살점 위로 개미 떼가 몰려들었다

2

1949년 정월 17일 제주도 조천면 북촌리

국방경비대 2연대 3대대

국민학교 인근 당팟 옴팡밧에서

마을 주민 400여 명 학살

밭담 언저리에는 시신들이 뒤엉켜 있었고

어린 아기는

죽은 어미의 마른 젖무덤에 올라

코를 박고 꼼지락꼼지락 허둥거렸다

돌담에 널린 시신 위로 까마귀들이 내려앉았다

— 졸시, 「데칼코마니」 전문

●

제주를
닮은 섬,
모리셔스를 가다

모리셔스로 가는 길은 멀다

모리셔스로 가려면 홍콩이나 두바이에서 환승을 하는데 우리 일행은 홍콩 환승 노선을 택했다. 항공사 시간을 맞추기 위해 홍콩 공항에서 머문 시간을 제외하고, 인천국제공항에서 홍콩까지 3시간 정도, 홍콩에서 모리셔스까지 9시간 정도의 비행이다.

2011년 9월 26일 모리셔스 포트루이스 공항에 도착하니 어둠이 깔려 있었다. 이번 문화 교류는 한라산의 겨울(참고로 모리셔스는 눈이 내리지 않아 그들에게는 눈 쌓인 풍경이 매우 생소하게 다가갈 수밖에 없다)을 중심으로 사진작가 고길홍 선생의 작품을 전시하면서 그쪽 예술가들과의 만남을 통해 양국 간의 문화예술 교류를 탐색하는 일정으로 이루어져 있다. 공항에 대기중이던 차량을 이용하여 우리 일행은 숙소로 향했다.

창밖으로 모리셔스의 낯선 밤풍경이 펼쳐진다. 도시를 벗어나니 불빛이 드문드문하다. 숙소까지 가는데 40분 정도가 소요된다는 말에 미리 준비해간 모리셔스에 대한 자료를 뒤적여본다.

모리셔스가 아랍 선원들에게 알려진 것은 10세기 또는 그 이전으로 보인다. 16세기 초에 포르투갈인들이 찾아왔지만 정착하지는 않았으며, 그 뒤 1598~1719년에 네덜란드인이 점령하여 모리스 총독의 이름을 따서 '모리셔스'라는 이름을 붙였다. 몇 차례 정착을 시도했다가 결국 포기하여 떠났으며 한때 해적들이 섬을 차지했다. 1721년에는 프랑스의 동인도회사가 모리셔스를 점령하여 '프랑스의 섬(Ile de France)'으로 바꾸었고 그 후 40년 동안 서서히 정착이 이루어졌으며 1767년 프랑스 해군부가 행정을 맡게 될 때까지 프랑스 동인도회사가 다스렸다. 이 식민지는 설탕 산업을 중심으로 번영을 누렸으나 영국과 프랑스가 전쟁 중이던 19세기 초 영국과 인도 상선들로부터 끊임없는 위협을 받았다.

1810년 영국이 이 섬을 점령하고 1814년에 평화를 되찾자 파리조약으로 정식 영국 식민지가 되었다. 관습 · 법규 · 언어는 프랑스식으로 남아 있지만 이름은 네덜란드에서 붙였던 모리셔스로 바뀌었으며, 1835년 노예제도가 폐지되면서 인도 노동자들이 노예를 대신했다. 모리셔스는 1850년대에 번영을 누렸으나 지나친 사탕무 생산 경쟁과 1866년 이후 말라리아가 돌아 모리셔스의 수도 포트루이스에 선박이 접안하지 못하면서 쇠퇴의 길로 접어들게 된다. 1945년 이후 경제개혁을 시도했으며 정치와 행정제도를 개편하여 마침내 모리셔스는 1968년 영연방 내에서 독립을 맞게 된다.

숙소에 여장을 풀고 늦은 식사를 하려는데 우리의 교류 파트너인 '문화 교류와 평화를 위한 재단(FIP, Fondation pour l' Interculturel et la Paix)' 관계자가 찾아왔다. 간단한 상견례를 하고 일행 중 몇 사람은 내일 전시 행사가 치러질 공간에 대한 사전 답사를 위해 자리를 떴다. 너무 오랜 비행 탓도 있었지만 내일 전시와 교류 일정을 차질 없이 진행하기 위해 일찍 잠자리에 들었다.

날이 밝았다. 피곤한 것도 있었지만 시차 적응이 되지 않아 일찍 눈을 떴다. 간단하게 식사를 하고 숙소 밖으로 나갔다. 아름드리나무가 서 있다. 그 모양새가 심상치 않다. 줄기에서 뻗은 나뭇가지의 절반은 여느 나무처럼 하늘을 향해 펼치고 있지만 나머지 절반은 가지를 땅으로 내려 그곳에서 다시 뿌리가 생기고 끊임없이 뻗어나가는 나무라 한다. 호텔 관계자에게 물으니 나무 이름이 '바니안(Banyan)'이라 한다. 한국에 돌아와 여행 일정을 정리하다가 인터넷에서 찾아보았는데, 인도의 도시 '가야(Gaya)'를 설명하는 내용이 포함되어 있다.

가야(Gaya) : 인도의 주도(州都) 파트나 남쪽 99.8km 지점에 있으며, 바라나시 다음가는 힌두교 성지로 유명하다. 여기서 순례자들은 조상의 영혼이 모든 고통에서 벗어나 천국에 갈 수 있도록 여러 가지 의식을 올린다. 순례의 중심은 비슈누신(神)의 발자국을 모신 비슈누파다 사원이지만, 순례자들은 다시 시내 몇 군데(본래는 45군데)에 '핀더'라고 부르는 과자를 놓으며 돌아다닌다. 비슈누파다 사원에서 서쪽으로 1km쯤 떨어진 곳에 있는 브라마지니 언덕의 기슭에는 영원한 생명을 가졌다고 하는 바니안(Banyan)나무가 있는데, 그곳이 순례의 최종점이

다. (출처: 네이버 백과사전)

일찍이 인간의 손이 닿기 전의 모리셔스를 생각한다. 『톰 소여의 모험』을 쓴 마크 트웨인은 "신(神)은 모리셔스를 모방하여 천국(天國)을 만들었다"고 했다. 마크 트웨인이 본 모리셔스의 모습이 바로 '영원한 생명'을 가진 이 나무로 둘러싸인 섬의 모습이 아니었을까? 몸의 일부가 뿌리가 되는 나무이니 인공이 가미되지 않는다면 이 섬은 이 나무로 뒤덮일 것이고, 바니안나무가 서 있는 곳이 순례의 종착지라면 분명 모리셔스는 천국으로 가는 시발점이 분명하지 않은가?

호텔에서 간단한 아침 식사를 마치고 숙소 뒤편 벤치에 앉아 일행을 기다리면서 주위를 둘러본다. 호텔 안에서 서빙을 하거나 호텔 정원에서 떨어진 낙엽을 쓸거나 호텔에서 운영하고 있는 수상택시를 운전하고 있는 사람들이 하나같이 검은색이다. 자료에 의하면 19세기 중엽에 노예제도는 폐지되었지만 그 흔적은 어렵지 않게 찾아볼 수 있다. 수첩을 꺼내들었다.

호텔 정원에서 낙엽을 쓸거나
뷔페식당에서 서빙을 하거나
호화요트 주방에서 당근을 채썰거나
수상택시를 운전하거나

그리그리 해변에서 쓰레기를 줍거나

광활한 사탕수수밭에 불을 놓거나

아프리카에서 넘어왔거나

인도양을 건너왔거나

피도 눈물도 검을 것 같다

—졸시, 「포트루이스 아침 7시」 전문

전시장으로 갔다. 내부가 텅 비어 있는 돌집인데 소박하면서도 단출하다. 전시 작품 하나하나를 비추는 조명등도 따로 없다. 전시 방법에 대해 의견을 조율하고 바로 준비에 들어갔다. 전시에 이골이 난 고길홍 사진작가와 동행한 오석훈 화백이 있어 한두 시간 만에 전시 준비를 마칠 수 있었다. 모리셔스의 풍경 사진도 네 작품 걸었고, 준비해 간 세계지도를 걸어 제주와 모리셔스를 표시하고 전시장 한쪽에 배치했다. 제주와 모리셔스 사이의 공간적 거리감을 실감케 하기 위함이다. 작품들을 걸어놓고 보니 전시장 분위기가 살아난다.

시간이 되자 재단 관계자들과 모리셔스의 예술가들이 행사장으로 왔고, 오후 4시에 전시장 오픈이 있었다. 때로는 영어로, 때로는 프랑스어로 진행을 했지만 우리말로 옮겨주는 통역이 없어 난감했다. 모리셔스는 일상적으로는 프랑스어를 사용하는데 우리 쪽을 배려하여 영어를 사용했지만 짧은 영어 실력 탓에 보디랭귀지를 총동원하여 그네들과 어설픈 환담을 나눌 수 있었다.

자신을 화가라고 소개하는 사람이 있었다. 선조가 수백 년 전에 인도에서 건너와 정착하게 되었다는 그는 한때 학생들을 가르치는 교사였는데 오래전 오토바이 사고로 인해 지금은 다리가 불편하다고 했다. 그는 작은 화첩을 꺼내 평소에 스케치한 그림들을 내게 보여주었다. 주로 새를 그리고 있었다. 그 이유를 물으니, 그는 자신이 가장 관심을 가지는 새가 다름 아닌 도도새라고 했다.

도도새.

모리셔스에 오기 전에 도도새에 대해 읽은 기억이 있다.

도도새는 인도양 모리셔스에 서식했던 새이다. 칠면조보다 크고 몸무게는 대략 23kg 정도이며 큰 머리에 깃털은 청회색이다. 검은색을 띠는 부리는 23cm 정도이며 부리 끝은 구부러져 불그스름한 칼집 모양을 하고 있다. 작고 쓸모없는 날개와 노란색의 억센 다리를 가졌고, 후미에는 곱슬한 꽁지깃이 높이 솟아 있다. 도도새는 이곳에서 오랫동안 어떠한 아무 방해 없이 살았기 때문에 하늘을 날아다닐 필요가 없어 비행 능력을 잃었다. 섬에는 포유류가 없었고 아주 다양한 종의 조류들이 울창한 숲에서 서식하고 있었다.

1505년 포르투갈인들이 최초로 섬에 발을 들여놓게 됨에 따라 어선들의 중간 경유지가 되었다. 도도새는 신선한 고기를 원하는 선원들에게는 매우 좋은 사냥감이었다. 이로 인해 많은 수의 도도새가 죽어갔다. 후에 네덜란드인들이 이 섬을 죄수들의 유형지로 사용하게 되었고 죄수들과 함께 원숭이, 쥐들이 유입되었다. 인간의 무차별한 남획과 외부에서 유입된 종(種)들로 인해 도도새의 개체수는 급격히 줄었다. 모리셔스섬에 인간이 발을 들여놓은 지 100년 만에 한때 많은 수를 자랑하던 도도새가 희귀종이 되어버렸으며 1681년에 마지막 도도새가 죽었다. (출처 : 네이버 백과사전)

지금 도도새는 완전한 모습의 표본조차 지구상에 남아 있지 않다고 한다. 다만 몸체 일부의 뼈와 스케치만이 남아 있을 뿐이다. 도도새가 멸종된 지 400년이 지났는데, 최근 한 과학자가 모리셔스의 특정한 나무가 희귀종이 되고 있음을 알아냈다. 도도새의 멸종이 그 나무의 멸종위기를 가져온 것이다. 도도새가 멸종한 이래 그 나무는 전혀 번식되지 않았다. 알고 보니 도도새는 그 나무의 열매를 먹고 살았으며 오로지 도도새의 소화

기관을 통해 씨앗을 옮기고 성장하는 나무였다고 한다. 그런데 다행히도 몇몇 연구자들에 의해 도도새와 칠면조의 식도가 유사함을 알아냈고 칠면조를 통해 그 나무를 번식시키는 데 성공하여, 모리셔스 사람들은 그 나무를 도도나무라고 부른다는 것이다.

장황한 설명을 마친 그 화가는 선물이라며 도도새를 스케치한 그림을 내게 주었고, 나는 한국에 돌아오는 길에 포트루이스 공항 면세점에서 도도새 목각 인형 하나를 구입하여 집에 데려옴으로써 도도새와 모리셔스와 그 화가와의 인연을 이어가고 있다.

아르자네 시인을 만나다

전시 오프닝이 끝나고 시의회 공간으로 자리를 옮겼다. 시의회 공간은 아담한 규모였지만 품격을 느낄 수 있는 곳이었다. 양측의 공식적인 인사에 이어 장르별로 참석한 작가들을 소개하는 순서로 진행이 되었다. 그 자리에서 아르자네(Arjanee)라는 이름을 가진 시인을 만났다. 17살이라고 자신을 소개했다. 올해 『우주로(To the Universe)』라는 첫 시집을 발간했다며 내게 보여주었다. 영어로 되어 있었다. 그녀의 시를 한국에 소개하겠다고 제안을 하자 그녀는 두 편의 시를 내게 보내왔는데 그중한 편을 소개한다.

Silence is music.

It presses against
our soul, the hundred
miniature bugs playing
violin somewhere in
another medium, the
deep lust and divinity
of its pregnant notes
ringing gongs against
infinity

Here I am, writing
in silence, Music.

—Arjanee, 「Silence」 전문

시집에 소개된 그녀의 약력을 보니 2010년 젊은 시인 포일 문학상(The Foyle Young Poets of The Year Award, 11세부터 17세까

지 어린 시인들이 참가하는 대회)에서 입상하였고, 2011년도 같은 대회에서 격찬을 받은 바 있다. 2010년 엘리자베스 비숍 문학상(Elizabeth Bishop Prize)에서도 입상을 하였다. 그녀의 첫 시집 『우주로(To the Universe)』는 2011년 모리셔스의 한 출판사 l'Atelier d'Ecriture에서 발간하였다. 그녀는 지금 캐나다의 애서배스카(Athabasca)대학 1학년에 재학 중이라고 한다.

교류장 밖으로 나오니 어둠이 내려 있고 그녀의 어머니가 기다리고 있었다. 서로 인사를 나누고 같이 기념 촬영을 했다. 인도풍의 식당으로 자리를 옮겨 잠깐 동안 이야기를 나누고 헤어졌다. 비록 짧았지만 인상적인 만남이었다. 숙소로 돌아오면서 생각해본다. 모리셔스와의 문화예술 교류가 지속적으로 이어졌으면 좋겠다고 했지만 그리 녹록한 일이 아닐 것이다. 제주에서 모리셔스 가는 일도 그렇지만 모리셔스에서 제주를 찾는 일은 더 힘들 것 같다는 생각이 들었기 때문이다. 그러나 한번 맺은 인연인데 가능하면 지속하는 게 어떨까 하는 생각을 하다 보니 버스는 이미 숙소에 도착해 있었다.

제주에 돌아와서

중국과 말레이반도를 가로지르고 인도양을 건너야만 닿을 수 있는 섬나라, 모리셔스를 다녀온 이후, 이 글을 쓰는 동안 아직도 나를 붙잡고 있는 모리셔스에 대한 기억은 '바니안나무'와 '도도새'와 아르자네 시인이다. 도도새는 오래 전에 멸종이 되어 지금은 전혀 찾아볼 수 없는 안타까움으로 남아 있고, 바니안나무는 마크 트웨인이 말한 '천국'의 이미지와 교차하면서 내 기억 속에 저장되어 있다.

그리고 이번 교류를 통해 새롭게 알게 된 아르자네 시인은 비록 너무 멀리 떨어져 있지만 동시대를 살면서 문학이라는 이름으로 한길을 가고 있는 동료의 한사람으로 아련하게 다가온다. 그녀가 모리셔스만이 아니라, 모리셔스와 인연이 깊은 르클레지오 같은 큰 작가가 되어 제주를 한번 찾아주기를 희망해 본다.

●

한반도의 대척점,
콜롬비아를 보다

한반도의 대척점, 콜롬비아

엄밀히 말하면 한반도의 대척점은 브라질과 아르헨티나와 국경을 맞댄 남미 우루과이의 어디쯤에 해당된다. 콜롬비아는 베네수엘라와 브라질, 페루와 에콰도르에 국경을 맞대면서 카리브해와 태평양을 가른 파나마가 남미 대륙과 만나는 지점에 위치한 곳이니 우루과이보다는 북쪽에 자리 잡고 있지만 지구라는 땅덩어리를 놓고 볼 때 대척점이라 해도 크게 어긋나지는 않을 듯싶다.

2016년 10월 12일부터 15일까지 콜롬비아의 수도 보고타에서 열리는 세계지방정부연합(UCLG, United Cities and Local Goverments) 총회를 참관하기 위해 콜롬비아로 갔다. 2017년에 세계지방정부연합 문화정상회의가 제주에서 3일 동안 열리게 되는데 미리 보고 도움을 얻고자 하는 의도에서 참가하게 된 것이다.

콜롬비아 가는 길은 참 멀었다. 제주에서 출발하여 김포공항에 내려 인천국제공항으로 이동하고 인천에서 미국 워싱턴 덜레스공항으로 가 대기하고 있다가 비행기를 갈아타고 콜롬비아 보고타에 내렸다. 환승, 대기 시간을 포함하여 얼추 하루가 꼬박 걸린 셈이다.

보고타는 해발 2650m에 위치한 고원 도시이다. 한라산 백록담보다는 훨씬 높고 백두산 천지보다는 100m 정도 아래에 있으니 초행길인 사람에게는 산소 부족으로 인한 두통이 발걸음을 무겁게 한다. 짧은 기간 동안 체류하는 사람에게는 그에 못지않게 힘이 드는 게 시차 적응이다. 14시간 차이가 난다. 한국이 밤 10시면 콜롬비아는 같은 날 오전 8시인 것이다. 낮과 밤이 정확히 뒤바뀐 셈이니 생체리듬이 오죽 혼란스럽겠는가.

콜롬비아 시간으로 늦은 밤에 호텔에 여장을 풀고 자는 둥 마는 둥 아침에 일어나 창밖을 보니 무장한 군인들이 호텔 외곽을 경비하고 있다. 치안이 불안하다는 말은 누차 들었지만 이 정도인 줄 몰랐는데 나중에 확인해보니 우리가 묵은 숙소에 이번 총회에 참석한 세계 여러 나라 사람들이 묵고 있어 특별한 경비를 하고 있다고 한다.

그도 그럴 것이 콜롬비아는 아직도 내전이 끝나지 않았다. 60여 년을 이어온 반군과의 전쟁이 지금의 후안 마누엘 산토스 대통령과 평화협정으로 종식의 기미를 보이더니 국민투표에서 부결되고 만 것이다. 반대한 명분은 평화협정 자체를 부정하는 것이 아니라 협정의 내용에 있다고 한다. 반군과 재협상을 추진할 것으로 보인다는 소식이 있어 한편으론 다행이지만 온 국민이 납득할 만한 타협안을 만들 수 있을지는 아직도 미지수라 한다.

행사가 열리는 컨페리아스 컨벤션센터로 간다. '도시개혁 추진을 위한 문화'를 주제로 캐서린 컬런(Catherine Cullen) 전 세계지방정부연합 문화분과 위원장이 좌장을 맡고 세계 각국에서 모인 7명의 발표자가 자국의 사례를 중심으로 발표가 이루어졌다. 제주에서는 주변에 홍보 부스를 마련하여 내년에 열리게 될 세계지방정부연합 문화정상회의를 홍보하는 자료를 나누어주느라 여념이 없다.

그날 저녁, 주콜롬비아 한국대사관저에서 만찬이 있었다. 장명수 콜롬비아 대사가 마련한 자리다. 지구의 반대편에서 한국음식을 먹으면서 우리말로 대화를 나누는 맛을 언제 누려보겠는가? 식사를 기다리면서 주위를 둘러보는데 눈에 확 들어오는 게 있었다. 가장 중앙에 위치한 벽에 걸린 그림인데 화풍이 너무 낯익어 자세히 확인해보니 강요배 화백의 그림이 여기 와 있는 게 아닌가. 대사에게 저 그림이 여기까지 오게 된 연유를 물으니 국립현대미술관에서 소장하고 있는 작품을 세계 각국에 나가 있는 대사관에서 임대 형식으로 빌려와 우리의 문화를 알리고 있다고 한다. 국립현대미술관이 소장한 작품이 한둘이 아닐 텐데 지구의 대척점에서 고향 선배의 그림을 만날 수 있다니 그저 반갑고 놀라울 뿐이다. 대사 부인이 준비했다는 한식 요리도 그래서인지 더욱 맛깔스러웠다.

그라피티, 도시의 정체성을 만들다

다음 날 보고타 문화 현장 방문의 일환으로 숙소에서 그리 멀지 않은 곳에 위치한 보고타 26번가 그랜드 그라피티 거리로 이동을 했다.

그라피티(graffiti)란 무엇인가. 어원은 '긁다, 긁어서 새기다'라는 뜻의 이탈리아어 '그라피토(graffito)'와 그리스어 '스그라피토(sgraffito)'이다. 분무기(스프레이)로 그려진 낙서 같은 문자나 그림을 뜻하는 말로 '스프레이캔 아트(spraycan art)' 혹은 '에어로졸 아트(aerosol art)'라고도 한다. 처음에는 반항적인 청소년들과 흑인, 푸에르토리코인들과 같은 소수민족들이 주도했다. 분무 페인트를 이용해 극채색과 격렬한 에너지를 지닌, 속도감 있고 도안화된 문자들을 거리의 벽에 그렸다. 그렇다면 보고타는 어떤 과정을 거쳐 그라피티가 거리의 공공 예술로 자리매김할 수 있었을까.

2007년 보고타의 한 시민 단체는 보고타시 정부를 상대로 그라피티 활동의 합법화와 공공 지역 개선을 골자로 한 집단 소송을 제기한다. 소송 결과 법원은 원고의 손을 들어주었고 2011년 보고타는 낙후된 도시 개선 사업을 위한 기본 정책을 마련하고 그라피티에 관한 기준을 설정하기에 이른다. 이를 추진하기 위한 실무자 그룹을 결성하고 정책 초안을 만들어 그라피티 아티스트를 비롯한 이해 당사자들과의 공개 협의를 거치게 된다. 이 과정에서 그라피티 아티스트들은 그라피티 위원회(District Graffiti Board)를 결성하여 보고타 전 지역에서 온 50여 명의 작가들과 정기적인 논의에 들어간다. 이러한 과정을 통해 그라피티를 중요한 문화예술 행위로 인식시키는 계기를 마련하였으며 처벌적 조치가 아닌 교육적 가치에 기반을 둔 새로운 그라피티 관련 기준 및 규제를 채택하기에 이른다. 그 결과 오늘의 보고타 그라피티 거리가 탄생한 것이다.

제주의 원도심과 올레길을 생각한다. 물론 그라피티가 아닌 벽화가 주를 이룬다. 주민자치센터에서 기획을 했는지 아니면 누가 어떤 절차를 거쳐 벽에다 그림을 그렸는지 모르겠지만 예술적 가치도 부재하고 마을의 역사와도 무관한 벽화들이 눈에 띈다. 때로는 빈 벽 그 자체의 비어 있음이 더 큰 아름다움이고 위안이다. 벽에 그린 그림은 쉽게 낡아 너덜해지기 마련인데. 그런 것들은 오히려 공해에 가깝다. 기획 단계에서부터 집행 그리고 사후 관리에 이르기까지 촘촘하고 세밀한 접근이 절실하다.

보테로 그리고 볼리바르

보테로 미술관으로 장소를 옮긴다.

콜롬비아를 대표하는 화가 보테로(Fernando Botero)가 기부한 작품들로 이루어진 미술관이다. 총 87점의 해외 유명 작가의 작품과 123점의 보테로 작품이 전시되어 있다. 60년대 중반부터 해외 걸작들을 수집하기 시작하여 90년대 중반 메데인에 자리한 안티오키아 미술관을 계획했으나 결정이 지연되었고,

그러던 와중에 보고타시 정부에서 그의 기부를 흔쾌히 받아들여 새로운 미술관 건립을 계획했으나 보테로의 의견에 따라 국립콜롬비아은행에 기부하여 그곳에서 작품을 전시하고 있다. 보테로의 작품으로, 토실토실하고 몽실몽실한 〈모나리자〉를 감상하는 것도 제 맛이지만 미술 교과서에서나 보았던 세계적인 거장들의 작품을 원화로 감상하는 맛도 여간 즐거운 게 아니었다. 보테로의 작품을 포함하여 소장한 작품의 값어치는 대략 200만 달러라 하니 그것만으로도 놀라운데 입장료가 무료라 더욱 놀랍다.

보테로 미술관에서 볼리바르광장은 지척에 있다. 마치 서울의 인사동거리처럼 길 양편으로는 각양각색의 예술품들을 판매하는 거리 상인들이 즐비하고 다종다양의 거리 악사들이 노래하고 이런저런 거리 음식들이 즐비하다. 보고 듣고 먹는 행위가 동시에 이루어지는 문화 공간인 셈이다.

보고타의 중심, 볼리바르광장에 선다. 광장의 북쪽엔 법원이, 남쪽엔 국회의사당이, 동쪽엔 대성당이, 서쪽엔 시청이 광장을 에워싸고 있다. 광장 가운에 볼리바르 동상이 있다.

시몬 볼리바르(Simón Bolívar), 그는 누구인가?

이 세상에는 가장 멍청한 바보가 세 명 있다. 첫 번째는 그리스도이며, 두 번째는 돈키호테 그리고 마지막이 시몬 볼리바르,

바로 나다.

평생을 청렴과 결백으로 살면서 오로지 남아메리카의 여러 나라를 독립시키는 데 온몸을 바친 라틴아메리카의 해방자가 바로 볼리바르다. 볼리바르가 혁명을 통해 해방을 시킨 나라는 그의 이름을 딴 볼리비아를 비롯하여 베네수엘라, 콜롬비아, 에콰도르, 페루 등이다. 그는 하나 된 남아메리카를 꿈꾸었으나 결국 그 꿈을 이루지 못하고 말았지만 그의 철학과 사상은 체게바라에 이르기까지 강한 영향을 미치게 된다. 그 볼리바르 이름을 딴 광장이 바로 이곳이다. 그곳에 국가의 주요 행정기관이 자리 잡고 있다. 그의 사상과 철학을 잊지 말자는 것이다. 원래 이 광장은 농부들이 자기가 생산한 농산물들을 가져와 장이 서던 곳인데 식민지에서 벗어난 1821년부터 광장의 명칭을 얻게 된다. 지금은 광장 한편에서 평화협정을 지지하는 텐트 시위가 이루어지고 있는데 시위라기보다는 시멘트 위에서 텐트를 치고 놀고 즐기는 듯하다.

감옥에서 박물관으로

보고타 현대미술관으로 자리를 옮긴다. 보고타 외곽에 위치해 있다. 규모도 소박하고 주변은 조용하다. 1970년 바레라

(Germán Ferrer Barrera)에 의해 개관된 미술관이다. 1960년대 부터 현재에 이르기까지 다양한 작품들이 수집되어 있다. 젊은 작가들의 실험 정신과 전위성이 눈에 보인다. 돼지 껍질을 이용하여 팔다리가 없는 사람의 몸통을 형상화한 작품이 있는데 내전 중에 지뢰에 의해 희생당한 농민의 모습을 표현했다고 한다. 사람의 피부와 가장 근접한 소재 중에 주변에서 쉽게 구할 수 있는 것이 돼지 껍질이라는 사실을 새삼 알았다. 또한 오랜 식민 시대를 경험한 젊은 작가들이 이제야 새롭게 전통에 관심을 돌리고 있다는 큐레이터의 설명에 우리의 현재와 미래를 돌아보게 한다.

콜롬비아 국립박물관으로 간다. 숙소에서 멀지 않은 곳이다. 개관 전에 도착하는 바람에 입구에 위치한 길거리 음식으로 허기를 달랜다. 샌드위치와 햄버거의 중간쯤 되는 음식이다. 옥수수빵 사이에 햄과 계란과 야채 등속을 넣는데 한 끼 식사로 부족함이 없다. 바로 그 옆에는 포대 가득 오렌지를 채워놓고 압착기로 즉석에서 눌러 주스를 만들어 팔고 있다. 음식 궁합이 여간 잘 어울리지 않는다.

콜롬비아 국립박물관도 무료다. 그러나 입구에서 검색은 철저하다. 무료 티켓을 소지한 사람만 들어갈 수 있는 구조로 되어 있다. 콜롬비아에 있는 여러 박물관 중에 가장 오랜 역사를 지녔다 한다. 1824년에 개관하였는데 전시 작품들은 예술, 역사, 인류학, 민족학 등 네 개의 섹션으로 나뉘어 있다. 스페인 식민지 시절부터 오늘에 이르기까지 콜롬비아, 라틴아메리카 그리고 유럽의 작품들이 전시되고 있다. 특이한 것은 이 건물은 원래 덴마크의 건축가 레드(Tomas Reed)가 설계한 작품인데 용도는 감옥으로 지었다는 점이다. 긴 회랑을 연상케 하는 복도와 복도를 가운데 두고 서로 마주 보는 모양의 독방들이 있는데 그 독방들이 전시 공간으로 활용되고 있는 셈이다. 창틀이 자그마하고 창틀마다 쇠창살이 있는 것으로 보아 조금만 관심을 가지면 이곳이 감옥이었음을 금방 알 수 있다.

마르케스 그리고 우사켄 시장의 예술가들

저녁 어스름에 볼리바르광장 주변에 위치한 '가브리엘 가르시아 마르케스 문화원'으로 갔다. 콜롬비아까지 왔는데 마르케스(Gabriel García Márquez)를 꼭 만나야 할 것만 같았다. 프란츠 카프카의 『변신』을 읽고 그는 돌연 법학 공부를 접고 작가가 되기로 결심한다. 1982년 노벨문학상을 수상한 그의 대표작 『백 년 동안의 고독』은 마콘도(Macondo)라는 상상의 땅을 무대로 부엔디아 가문의 역사를 그린 작품으로 '마술적 리얼리즘'이라는 용어가 그로 하여 만들어졌을 정도다. 그러나 마르케스 문화원에 정작 마르케스는 없었다. 2008년에 지어진 이 건물에는

5만여 권을 수용할 수 있는 서점과 국내외 플라스틱 아트 작품을 전시해놓은 갤러리와 그에 딸린 카페가 있을 뿐이었다. 카페 옆 공터에서 기타 통을 바닥에 펼쳐놓고 노래하는 가수의 거리 공연을 보면서 속으로 『백년 동안의 고독』도 읽지 않고 마르케스를 만나겠다고 욕심을 낸 자신을 탓할 수밖에 없었다.

한국으로 돌아오는 날, 마지막으로 들른 곳은 우사켄 벼룩시장이다. 보고타를 여행하는 사람이라면 반드시 들르는 곳으로 알려져 있다. 일주일에 한 번 장이 서는데 마침 가는 날이 장날이었다. 원래 이 시장은 다양한 이름으로 불리는데 야외시장, 노천시장, 공설시장, 장터, 전통시장 등이 그것이다. 보고타로부터 공식 허가를 받은 상인들은 정해진 규격의 천막에서 고유 번호를 달고 전을 벌이지만 그렇지 못한 상인들은 그 주변 노점에서 벌이는데 그 비주류의 장이 오히려 일품이다. 일종의 무허가 아트마켓인 셈이다. 장터에 다닐수록 소매치기를 조심하라 하는데 우선 흥성거리는 분위기가 있어서 좋고 에누리가 있어서 좋다. 돈이 없다 하니 있는 돈만 달라 한다. 장터 구경은 언제나 그렇듯이 시간 가는 줄 모른다. 이것저것 사다 보면 양손이 무겁다. 그래야지만 장에서 빠져나올 수 있다.

무한 잠재력과 전통이 살아 있는 콜롬비아

하루를 걸려야 갈 수 있고 하루를 걸려야 돌아올 수 있는 콜롬비아에서 사흘 정도 머물러놓고 콜롬비아를 안다고 말할 수는 없다. 말해서도 안 된다. 얼핏 스친 정도에 불과하니까 더욱 그렇다. 그럼에도 불구하고 콜롬비아에 대해 한마디 하라면 '무한 잠재력'과 '살아 있는 전통'이라고 하겠다. 물론 유럽의 식민지 시대를 오랫동안 거치면서 그들의 원형은 많이 사라지고 무너졌지만 그들은 건강해 보였고 어질게 느껴졌다. 자부심 또한 돋보였다. 반군과의 내전으로 인해 치유되지 않은 상처가 지금도 계속되고 있지만 정치적인 문제가 해결이 되고 평화가 찾아온다면 문제는 달라질 것이다.

생각해보라. 유카탄반도의 마야문명, 멕시코고원의 아스테카문명, 안데스산맥의 잉카문명이 다 그들의 땅에서 자라나고 꽃을 피웠지 않은가.

●

『탐라 기행』을 기행하다

○

『탐라 기행』(시바 료타로 지음/박이엽 옮김/학고재/1998)

오늘은 시바 료타로(司馬遼太郎)의 『탐라 기행』을 들고 길을 나섭니다. 나고 자란 섬에 대해 문학적으로 재발견한다는 것은, 물론 쉬운 일이 아니지요. 섬 속의 섬을 찾아다닐까 하는 생각도 해보았는데 어디서 본 듯한 아이디어라 썩 내키지는 않았습니다. 무얼 할까 망설이다가 '타자의 눈으로 바라본 제주'는 어떨까 하는 생각을 하게 되었지요. 여기서 말하는 타자는 섬사람이 아닌, 다시 말해 유배인의 시선일 수도 있고 외국인의 눈에 비친 제주일 수도 있겠지요. 시바 료타로는 1985년 10월에 6박 7일, 그리고 같은 해 12월에 다시 한번 제주를 방문하여 해녀와 무당을 취재하게 됩니다. 첫 방문에는 제주 출신 역사학자 강재언 교수, 현문숙 씨, 장준석 씨 그리고 화가 스다 고쿠타(須田剋太) 씨 등이 동행했고, 두 번째 방문에서는 제주대 현용준 교수와 고(故) 김영돈 교수가 함께했었지요.

시바 료타로는 누구인가?

시바 료타로는 일본에서는 모르는 사람이 없을 정도로 잘 알려진 국민 작가라 합니다. 『료마가 간다』, 『성채』 등 역사적 사실에 현대적인 해석을 가미한 역사소설의 새 분야를 개척했다는 평가를 받고 있지요. 1923년 오사카 태생으로 본명은 후쿠다 데이이치(福田定一). 오사카 외국어학교 몽골어부를 나왔고 2차 세계대전에는 학병으로 나갔으며 전쟁이 끝난 이후에는 『산케이신문』 기자로 활동하게 됩니다. 1960년 장편소설 『올빼미의 성(城)』으로 나오키상(直木賞)을 수상하면서 작가의 길을 걷게 되고 『불타는 검』, 『언덕 위의 구름』 등으로 일본의 중요한 문학상을 휩쓸면서 논객으로서도 영향력 또한 대단했다 합니다. 시바 료타로 전집 50권, 기행문 『가도(街道)를 가다』 시리즈 41권 등이 있는데 『탐라 기행』은 기행문 시리즈 28번째 작품이라지요.

그런데 궁금한 것은 시바 료타로에 대한 세간의 평가가 다양하다는 점이었습니다. 다시 말해 일본 군국주의를 지나치게 옹호한다는 입장이 한 축이라면 나머지 한 축은 고대 일본의 형성이 제주를 비롯한 한반도와 밀접한 관련이 있음을 솔직하게 인정하고 있다는 것이지요. 어느 쪽이 속마음인지는 이제는 확인할 길이 없습니다. 시바 료타로는 이미 1996년 2월, 73세의 일기로 유명을 달리했으니까요.

상세(常世)의 나라, 탐라

시바 료타로의 『탐라 기행』은 상세(常世)의 나라를 소개하는 『일본서기』 이야기로 시작합니다. 천황은 그의 신하 다지마모리에게 "상세의 나라에 가서 도키지쿠노 가구노고노미(非時香菓)를 구해오라"고 명합니다. 다지마모리는 명에 따라 상세의 나라에 다녀왔으나, 천황은 이미 붕어(崩御)한 뒤였다지요. 다지마모리는 슬픈 나머지 능 앞에서 울부짖다가 스스로 목숨을 끊었다는 내용이 있는데 다지마모리가 상세의 나라에서 가져온 '도키지쿠노 가구노고노미'에 대하여 『일본서기』에는 "지금 귤(橘)이라 일컫는 것이 이것이다"라고 씌어 있습니다. 더 흥미로운 것은 다지마모리가 "만 리의 물길을 헤치고 절역(絶域)에 이르렀다"고 하며, 그곳은 "신선의 비경(秘境)이었다" 했다고 『일본서기』에 전한다는 것이지요.

"다지마모리가 다녀온 상세의 나라. 그곳이 바로 제주도가 아니었을까?"

시바 료타로의 제주에 대한 관심은 바로 이 지점에서부터 시작하는 것 같습니다.

우선은 다지마모리가 도래인(渡來人), 다시 말해 조선 반도에서 건너간 사람이었다는 점, 그리고 조선 반도에서 귤이 생산되는 곳은 오직 제주라는 점을 생각했겠지요.

그는 제주 기행의 사전 준비로 『삼국사기』를 통해 탐라국이 조선 반도의 왕국과 처음으로 공식 접촉을 가진 것이 5세기 말, 백제 문주왕 2년(476년)임을 확인합니다.

> 여름 사월(夏四月)에 탐라국이 방물(方物)을 바치다. 왕이 기뻐하다.

『고려사』를 읽고는 탐라의 '삼성신화'를 확인합니다. 그 중 일부를 소개합니다.

> 어느 날 봉함이 된 검붉은 나무궤가 동쪽 바다 기슭에 떠밀려와 있음을 보고 이를 열어본즉, 자줏빛 옷을 입고 붉은 띠를 두른 한 사자(使者)가 나왔다. 또한 나무궤 속에 작은 석궤가 있어 열어본즉, 푸른 옷을 입은 세 처녀가 나왔다. 그리고 망아

지와 송아지, 다섯 가지 곡식의 씨앗도 들어 있었다. 사자가 말하였다.

"저는 일본의 국사(國使)입니다. 우리 임금께서 이 세 공주를 낳으셨는데, 마침 서해(西海, 일본에서 보아 서쪽)에 있는 산 위에서 신(神)의 아드님 셋이 내려와 바야흐로 나라를 세우려 한다는 말이 들리는지라, 그렇다면 배필이 있어야 마땅하리라 하시고 신하인 저에게 분부하시어 세 공주를 보내셨습니다. 부디 좋은 짝이 되시어 대업을 이루소서."

비록 신화적 요소지만 여기서 주목할 것은 일본과 제주가 의외로 가깝게 서술되고 있다는 점이지요. 계절풍에 대한 지식만 있으면 규슈와의 왕래는 그리 어려운 일이 아니었기 때문에 고대 이래로 두 나라 사이에는 빈번한 교류가 있었음을 알 수 있습니다.

시바 료타로의 제주 관련 독서 편력은 여기서 그치지 않고 근현대사에 이르기까지 광범위합니다. 『제주도 피의 역사』(国書刊行会) 등을 읽었지만 이 사변(제주 4·3을 말함 — 필자)에 관해서 조선·한국의 친구들과 이야기해본 일은 한 번도 없었다고 합니다. 그렇게 하는 것이 외국인으로서 극히 자연스러운 절도(節度)라면서 말입니다. 무척 예민한 정치적인 문제였기 때문이겠지요. 그러다가 김석범의 『화산도(火山島)』(文藝春秋)

3권을 읽고 나서는 섣불리 언급할 일이 아니라는 생각을 갖게 됩니다. 김석범 선생은 『화산도』로 제11회 오사라기 지로(大佛次郎)상을 수상하였는데, 1984년 10월 12일 자 『주간 아사히』에 요코하마 마사오(橫山政男) 씨가 김석범 선생의 인간성과 작품에 대한 글을 쓴 게 있어서 그 한 부분을 소개합니다.

김석범 씨는 아사히신문사로부터 오사라기상 소식을 들은 뒤 사이타마현(埼玉縣)에 있는 자택을 자전거로 나서서 니시카와구치(西川口) 역전에 있는 한 술집으로 혼자 축배를 들러 갔다. 마시고 있노라니 취기가 오름과 동시에 기쁜 마음 한편으로 맹렬한 분노가 치밀어 오르는 것이었다. 몹시 취해서 돌아가는 길에 자전거를 탄 채로 나뒹굴어, 안경이 부러지면서 오른쪽 눈두덩이에 상처를 낸 것이다.

"그게 무슨 분노인지는 나 자신도 잘 모르겠습니다."

김석범 씨는 그렇게 말하고 입을 다물었다.

수상의 기쁨과 맹렬한 분노 사이에 놓인 선생님의 미묘한 심사를 어찌 헤아릴 수 있겠습니까마는 시바 료타로는 김석범 선생의 수상에 얽힌 후일담을 이렇게 적고 있습니다.

그는 양친이 다 제주도 출신인 철두철미한 제주도인이지만 제주도에 가보는 일은 결단코 하지 않았다(물론 그 이후 김석범 선생은 몇 차례 제주를 방문했다 — 필자). 시상식 이후, 아사히 신문사는 이 사람의 완강한 뜻에 감복한 나머지 신문사 비행기에 태워 영공(領空)이 끝나는 지점까지 데려갔다 한다. 그런데 그날 제주도의 상징인 한라산은 구름에 덮여 보이지 않았다는 것이다.

억새밭 너머 배추밭

시바 료타로 일행이 제주에 들어와 삼성혈을 둘러보고 이틀째를 맞이합니다. 그런데 아침에 식당에 가보니 강재언 교수가 보이지 않습니다. 모처럼 고향 제주에 왔으니 우선 성묘를 하는 게 당연한 도리였겠지요. 하여 일행들도 따라나섭니다. 무덤 앞 광경을 그는 이렇게 기억하고 있습니다.

무덤은 반원형으로 자그마하게 흙을 쌓아올려서 잔디로 덮여 있다. 이러한 분묘를 한어(漢語)로 청산(青山)이라 부르기도 한다. 인간도처유청산(人間到處有青山)의 '青山'이다. 봉분 앞에 석대(石臺)가 있다. 부인들은 석대 위에다 여러 가지 음식이랑 과일들을 벌여놓는다. 강재언 씨가 이타미공항에서 산 바나나도 한 다발 놓였다. 이윽고 향연이 피어오를 때쯤 평소에

농담하기 좋아하는 강재언 씨가 무릎 꿇고 엎드려, 유례에 의한 배례를 되풀이하였다. 나는 겸손하게 돌담 그늘에 가 있었다.

『근대 조선의 변혁사상』(日本評論社), 『조선의 개화사상』(岩波書店)등 많은 역작을 낸 강재언 교수가 오랜만에 고향을 방문하여 부친의 묘소에 성묘하는 광경입니다. 강재언 교수는 정치적인 이유 때문에 오랫동안 고향엘 와보지 못하였지요. 몇 해 전에 스스로 그 정치적인 사슬은 벗었음에도 제주도를 찾지 않았다 합니다. 일행 중에 현문순 씨가 계셨는데 하이쿠(俳句)에 능한 사람인 것 같습니다. 하이쿠는 일본 고유의 단시형을 말하는데 아마 이날 성묘 자리에서도 하이쿠 한 수를 남깁니다.

억새밭 너머 배추밭 그 너머 파밭

억새도 말라버린 늦은 계절, 시원스레 트인 들판 가운데 무덤이 있고 그 너머에 배추밭, 그리고 그 너머에 다시 파밭. 아마 억새꽃들은 가을바람에 너풀너풀 춤을 추고 있었겠지요.

몽고 말은 제주에만 있다

제주 삼성혈을 시작으로 애월, 한림 등 해안을 따라 돌다가 하루는 일정을 중산간으로 정합니다. 몽고의 흔적을 보고 싶었는지 모르겠습니다. 시바 료타로가 몽골어를 전공했다는 것과 무관하진 않겠지요. 어디 그뿐이겠습니까. 쿠빌라이 칸이 몽골을 지배하기 시작하면서부터 고려에 이어 일본 지배를 꿈꾸게 되지요. 몽골을 달리던 기마병을 한꺼번에 데려오는 게 아니라 말을 방목하기에 안성맞춤인 탐라를 방목지로 삼아 지배하고 나중에 일본을 치려는 속셈이었겠지요. 몽골은 탐라를 지배하면서 아예 명칭을 탐라국이라 하였고 몽골 기병 1700여 명을 파견하여 방목을 합니다. 몽골의 탐라 지배에 대해 그는 이렇게 기록하고 있습니다.

1390년대에 원이 쇠망하자, 중국 영토 내의 모든 몽골인들은 말을 타고 유유히 북쪽으로 돌아갔다. '원의 북귀(北歸)'라 일컫는다. 그런데 제주도의 몽골병은 그대로 토착화해버렸다. 돌아가려 하여도 바다를 건너기가 어려웠던 점도 있었겠지만, 한라산 초원이 좋았던 탓도 있었을 것이다. 무엇보다 탐라인들이 그들을 받아들였을 게 틀림없고, 그들은 완전히 녹아들어 후손이 따로 없다.

시바 료타로에 의하면 탐라에 있던 몽골인들은 원이 쇠망한 이후 돌아가지 않았다는 점을 들면서 '무엇보다 탐라인들이 그들을 받아들였을 게 틀림없다'고 진단하고 있는데 선뜻 납득이 되지 않는 부분입니다. 이제 와서 탐라가 우리만의 고유 혈통임을 말하자는 게 아닙니다. 탐라인들이 그들을 받아들인 분명한 근거가 없다는 것입니다. 물론 말(馬)이라고 하는 최고의 농업 수단을 가지고 있었고, 그 무렵 말은 부의 척도일 수도 있었겠지요. 그럼에도 불구하고 '그들을 받아들였을 게 틀림없다'는 말엔 쉬 동의할 수가 없습니다.

하멜과 이원진의 만남

1653년 여름 네덜란드 상선이 대만을 출발하여 일본으로 항해하다 도중에 두 차례의 태풍을 만나 제주도의 남서쪽 끄트머리 대정현으로 피하였는데 8월 16일 아침입니다. 원래 그 배에는 64명이 승선하고 있었는데 파선 과정에서 희생된 사람이 많아 결국 36명만이 살아남았다 합니다.

대정현감은 표류자들에게 예를 갖추라면서 이마를 땅바닥에 대고 문지르라 하고, 그들이 난폭자일지도 모른다 하여 36명 모두의 목에다 쇠사슬을 씌웠다 하지요.

결국 그들은 제주목으로 압송됩니다. 이때 제주의 목사가 바로 이원진이었지요. 학문이 깊고 덕망이 높으며 섬사람에 대한 애정 또한 남달랐던 목사입니다. 뿐만 아니라 그는 제주도 최초의 지지(地誌)인 『탐라지』의 저자이기도 합니다. 몇 년에 불과한 재직 기간에 그 부임지의 지지를 조사해서 책으로 만들었다는 것만으로도 놀랄 만한 일이겠지요. 하멜의 눈에도 이원진은 좋은 사람으로 보였던 것 같습니다. 하멜은 그의 표류기에 이원진에 대해 이렇게 적고 있습니다.

> 이 총독(이원진 목사를 말함 — 필자)은 대단히 분별력이 있는 인물로서, 후에 알게 된 일이지만 연세는 70세 전후였고, 서울 출신이며 궁중에서도 매우 존경받는 인물이었습니다.

제주목사를 배알하기 전에 이들은 매일 일정량의 쌀과 소금을 지급받았는데 부식은 없는 거나 마찬가지였다 합니다. 표류자들이 이원진에게 이 사실을 호소하니 이원진은 부식물 등 기타 필요한 물품을 지급해주었다 합니다. 또 이원진은 이들을 위하여 가끔 연회를 베풀어 "우리들로 하여금 슬픔을 잊게 하려고 애썼다"고 말하고 있습니다.

그런데 오래지 않아 이원진은 서울로 전임되고 그로부터 13년간 그들은 매우 힘겨운 생활을 한 것으로 기록되어 있지요.

하멜을 비롯한 표류자들에 의해 운명적이게도 세계를 향하여 조선에 관한 제1보를 보내게 됩니다. 『하멜표류기』가 바로 그것이지요.

다시 찾은 제주도

시바 료타로는 그해 12월에 다시 제주를 찾습니다. 제주를 온전하게 이해하려면 '심방'과 '해녀'가 필수적이라는 판단이 었던 것 같습니다. 제주에 도착한 날 그는 현용준 교수(현용준 교수는 2015년에 타계하셨다—필자)를 만나게 됩니다. 그 장면을 이렇게 술회하고 있지요.

> 도착한 그날 밤, 현용준 교수와 저녁을 같이 먹게 된 것은 행운이었다. 역시 현 선생의 배려를 빌리지 않고서는, 당돌하게 심방이 만나질 턱이 없다. 현용준 교수는 『제주도 무속 연구』라는 저서가 있다. 북아시아·동아시아 전체의 시야에서 차근차근 초점을 좁혀 들어와서 제주도의 샤만에다 정확하게 초점을 맞춘 것으로, 분명 도쿄대학은 이 저술을 가지고 현 씨에게 사회학 박사학위를 주었을 것이다.

나중에, 돌아가신 김영돈 교수도 합류하게 되는데 이들이 찾아간 곳은 조천이었지요. 첫 번째 방문 때에는 연북정과 포구만 보았는데 이번엔 심방을 만나기 위해 다시 온 것이지요. 지금은 돌아가셨지만 안사인 심방을 찾아 나선 길이었습니다. 드디어 굿이 시작됩니다. 시바 료타로는 이 낯선 문화를 이렇게 적고 있습니다.

> 제단에는 여러 가지 과일과 어물, 쌀밥 등이 올라와 있다. 곧 삼십 대의 부인이 들어왔다. 부인이지만 심방 안사인의 제자라 한다. 그 밖에 남자 제자들도 들어와 한쪽 구석에 앉았다. 모두 악기를 들고 있다. 악기는 다 타악기다. 어수선한 분위기가 가라앉자 수심방인 안사인 씨가 들어왔다. 오십 대인데 머리 빛이 검다. 도무지 신이 들릴 것 같지 않은 풍모요, 극히 상식적인 얼굴 모습으로 면사무소 호적계장 같은 느낌이라 짐짓 맥이 풀린다. 그때 '콰앙' 하고 놋쇠로 만든 타악기가 울린다.

아마도 그가 본 것은 초감제인 듯합니다. 제차가 어느 정도 진행되고 소무가 감상기를 심방 손에 쥐어주는데 그 광경도 특이하게 보였나 봅니다.

> 제자인 무녀가 푸른 세죽(細竹)을 갖고 들어왔다. 세죽이 흰 종이에 감겨 있는데 크지는 않다. 대는 길이가 1미터 정도일 뿐

인데 이것이 신대라 한다. 신이 이 세죽을 타고 내려오는 것이다. 일본의 신도에도 신이 다치키(立木)를 타고 내려온다는 사고방식이 있는데, 이는 멀리 북아시아까지 공통되는 생각이었다. 이 경우 세죽은 1미터 정도밖에 안 되어도 다치키로 간주되고 있음에 틀림없다.

이튿날 시바 료타로는 해녀를 만나기 위해 제주시에서 차를 타고 북촌을 가는데 아마도 운전기사에게 제주에 해녀가 많이 있냐고 물으니 기사는 요즘 젊은 여자들은 공부를 하여 진학을 하든지 다른 직업을 선호하기 때문에 나이 든 해녀밖에 없다고 말합니다. 이에 대해 시바 료타로는 오늘날의 문명에 대해 날카롭게 지적합니다.

오늘날의 문명에는 바보스러운 데가 있다. 학교를 난립시켜, 아이들을 몽땅 우리 속에 가둬놓고 어느 우리가 더 나은지 등급을 매기고 있다. 사회나 부모가 다 아이들을 닦달하여 등급이 매겨진 사회 속에 밀어 넣고 자타를 구별함으로써 안도하는 사회의식을 드러내고 있다. 신분제가 없는 사회가 되면 흡사 광장 공포증에 걸린 생쥐 같은 심리 상태가 되어, 그런 우리를 만듦으로써 일종의 신분적 차별성을 향유하는 것이다. 일본은 이미 그런 사회가 되어버렸는데, 한국도 사회적 사고방식이 유사한 만큼 그 비슷한 상태가 되어버린 모양이다.

그가 해녀 마을을 찾고 싶었던 이유로 『엔기시키』를 들고 있습니다. 『엔기시키』는 일본의 헤이안시대 초기인 엔기 5년(905)에 율령 시행 세칙을 편찬한, 무려 50권이나 되는 방대한 책이지요. 그 책 14권을 보면, 국내 각 지방에서 바칠 공물을 정해놓고 있는데 아주 상세하게 기술되어 있다 합니다. 전복도 공물에 들어 있는데, 여기 뜻밖에도 '탐라복 육근'이라 적혀 있다 합니다. 설마 지금으로부터 천수백 년 전에 일본이 탐라에서 전복을 수입했을 리는 없고, 아마도 지금의 오사카 혹은 이세 어딘가에 탐라로부터 해녀들이 자주 왔고, 그들이 전복을 채취하고 있었던 것은 아닐까요? 다시 말해 탐라 해녀들이 일본으로 건너가 잠업 기술을 그들에게 전수하고 그들 중 일부는 일본인의 조상이 되어 오늘까지 이어지고 있는 것은 아닐까요?

●

바다에서 길을 잃다

○

『표해록』(장한철 지음/김지홍 옮김/지식을만드는지식/2009)

새파란 꽃잎이 물에 떠서 흘러가더라
오늘도 꽃 편지 내던지며
청노새 짤랑대는 역마차 길에
별이 뜨면 서로 웃고 별이 지면 서로 울던
실없는 그 기약에 봄날은 간다

오래된 이야기입니다만 우리나라 60대 이상의 시인들이 가장 좋아하는 노래 〈봄날은 간다〉의 가사를 본 기억이 납니다. 한때는 '새파란 풀잎'이었는데 삶이란 게 늘 그렇듯 뜻밖의 여

울을 만나 돌아볼 새도 없이 흐르고 흘러 지금, 여기까지 와버린 덧없음 때문에 굳이 60대 이상의 시인만이 아니라 50대 이상의 시인도 좋아하고 시와 아무런 상관이 없는 어느 누구라도 한 번쯤은 흥얼거린 적이 있는 노래가 아닌가 합니다.

겨울 같은 봄날에서 한순간에 여름 같은 봄날로 환승한 어느 봄날, '청노새 짤랑대는 역마차' 대신 시외버스터미널에서 버스를 타고 일주도로를 따라 애월 한담동으로 갑니다. 너무 한가해서 통째로 빌린 것 같은 버스의 맨 뒤편, 바다가 잘 보이는 창가에 앉아 장한철의 『표해록』을 펼칩니다. 지금 그를 만나러 가는 길입니다.

뭐허멘? 놀멘

애월의 서쪽 끝에 위치한 정류소에서 내려 장한철 선생의 생가가 있는 바닷가 쪽으로 발걸음을 옮기다가 생각합니다. 지나가는 섬사람에게 제주에서 어느 바다가 가장 아름다우냐고 묻는 건 참 어리석은 질문입니다. 돌아올 대답은 자기가 살았거나 지금 살고 있는 바다가 제일 아름답다고 할 테니까요. 한 군데만 더 추천하라고 하면 아마도 많은 사람들이 한담동 바닷가를 꼽지 않을까 합니다. 달이 뜬 한담동 밤바다에 와서 정희성 시인도 애월의 참모습을 시에 담았을 정도니까요.

들은 적이 있는가

달이 숨쉬는 소리

애월 밤바다에 가서

나는 보았네

들숨 날숨 넘실대며

가슴 차오르는 그리움으로

물 미는 소리

물 써는 소리

오오, 그대는 머언 어느 하늘가에서

이렇게 내 마음 출렁이게 하나

— 정희성, 「애월」 전문

한담동으로 내려오는 길에 동네 아저씨에게 정확한 위치를 확인하고 마을로 내려옵니다. 바닷가에 위치한 오래된 집을 리모델링하는 인부 몇 사람을 제외하고는 개 두어 마리만 어슬렁거릴 뿐 마을 전체가 고요합니다. 빈집인 채로 오래 두어서 그런지 장한철 생가는 굳게 잠겨 있고 문틈으로 바라본 마당 안은 정리되지 않은 채 스산하기만 합니다. 그래도 어딘가 들어갈 곳이 있지 않을까 하여 주위를 둘러보는데 생가 바로 옆에서 조그만 집을 고치고 있는 젊은 친구가 있습니다. 차편으로

10여 분 거리에 살고 있는 젊은이인데 카페도 하고 가죽공예도 할 요량으로 내부공사를 하고 있답니다. 나이 든 어르신들만 남은 고향으로 돌아온 그 친구가 참 미덥습니다. 상호는 무어라고 할 거냐 물으니, 부끄러운 듯 씨익 웃더니 '놀멘'이라 합니다. 한 대 얻어맞은 기분입니다. 먹고살기 위해 다람쥐 쳇바퀴 돌듯 정신없이 돌아가는데 그의 상호는, '놀고 있다'입니다. 개업한 후에 꼭 놀러오겠다는 말을 남기고 한담공원으로 갑니다. 지난해 11월 이곳에 장한철 기념비가 세워졌기 때문이지요.

장한철은 누구인가?

공원 한쪽 그늘진 곳에 앉아 『표해록』을 다시 펼칩니다. 지금까지 『표해록』이 우리말로 번역된 것은 네 차례입니다. 1979년에 정병욱 교수가 옮긴 『표해록』이 처음이고, 2001년에 김봉옥, 김지홍이 옮긴 『옛 제주인의 표해록』, 같은 해 이종헌이 옮긴 『그리운 청산도』 그리고 청소년을 위해 알기 쉽게 풀이한 소설가 한창훈의 『제주 선비 구사일생 표류기』가 그것입니다. 그런데 지금 들고 있는 책은 『옛 제주인의 표해록』을 옮긴 김지홍 교수가 2009년에 펴낸 『표해록』입니다. 동문수학한 선배가 옮긴 책이라서 마음이 간 게 아니라 지금껏 소개된 표해록을 총망라하면서 그의 성품답게 꼼꼼하고, 상세하게 정리하고 있을 뿐만 아니라 이전의 번역물에서 드러난 오류를 바로잡음으로써 독자들이 쉽게 다가설 수 있도록 꾸몄다는 점이 마음에 와닿았지요.

『표해록』을 이해하기 위해서는 우선 장한철이라는 인물이 누구인지를 알아야겠지요. 1744년(영조 20년) 제주도 애월읍 애월리에서 태어난 그는 일찍이 아버지를 여의고 쌍오당(雙梧堂)이라는 당호(堂號)를 쓰는 새아버지 슬하에서 자랍니다. 글공부를 좋아하여 일찍이 향시에 몇 차례 합격한 바 있었지만 서울이 천 리나 떨어져 있고 집안에 한두 섬의 쌀도 없어서 먼 길을 떠날 엄두가 나지 않아 번번이 포기하고 말았는데 1770년(영조 46년) 10월에 향시에 수석으로 합격하게 되자 마을 어른들과 관청에서 여비를 도와 한양에서 실시하는 회시(會試)를 치르기 위해 뱃길에 오르게 되지요. 그날이 1770년 12월 25일입니다.

그러나 느닷없이 풍랑을 만나 류큐국까지 떠내려갔다가 중국 상선을 만나 얻어 타고 일본으로 가다가 안남 사람들에 의해 다시 바다 한가운데로 버려졌는데 가까스로 표류하여 전라도 완도군 청산도에 닿아 목숨을 건지게 됩니다. 그의 마지막 기록이 1771년 5월 8일이니 장한철의 『표해록』은 그 기간 동안의 — 장한철을 포함하여 29명이 제주를 출발하여 그 과정에서 21명이 목숨을 잃고 8명만 구사일생으로 살아남은 — 표류기입니다. 몸을 회복한 후 서울로 가서 회시를 치렀으나 낙방하여 고향에 돌아오게 되고 그로부터 4년 후인 1775년 32세의 나이로 문과 별시 병과에 급제하여 가주서(假注書)를 시작으로 성균관 학유(學諭)를 거쳐 1781년(정조 4년)에는 강원도 상운역 찰방(察訪)으로 발령 받은 바 있고, 특이한 것은 1788년(정조 11년)에 제주도 대정현감에 임명되기도 하지요. 그러나 유배중인 김우진을 제대로 단속하지 못했다는 이유로 위기에 몰리기도 합니다. 『승정원일기』 정조 12월 기록에 따르면 다시 장한철을 평시주부(平市主簿)로 임명했다는 기록이 있는 것으로 보아 복권되었음이 분명한데 그 이후의 행적에 대해서는 안타깝게도 전해지는 기록이 없습니다.

『표해록』은 어떻게 기록되었을까?

그렇다면 장한철의 『표해록』은 어떻게 기록되었을까 궁금하지 않을 수 없습니다. 하루에도 수십 번 죽음의 문턱을 드나드는 극한 속에서 어떻게 그 과정을 기록으로 남길 수 있었을까를 생각합니다. 1771년 정월 11일 기록을 살펴봅니다. 이날은 거센 파도에 밀려 배가 부서지면서 청산도로 떠밀려온 지 닷새가 되는 날입니다.

> 엊저녁에 뱃사람(청산도 어부—필자)들이 가죽 행낭을 포구에서 건져냈다. (…) 곧 행낭을 열어보았다. 그 안에 들어 있는 것이 종이돈과 문서들이었다. 물에 흠뻑 젖고 모두 진흙투성이였다. 호산도에 있을 때 적어둔 '표해일기'가 여기 들어 있었다. 꺼내어 보니 이지러지고 떨어져 많이 살펴볼 수가 없었다. 그러나 뜻으로 더듬어 추측하여 되새기면, 가히 그 대략을 알 수 있었다. 그러므로 이 원고가 없어지지 않은 것을 천만 다행으로 생각했다.

전라남도 완도군 노화도에 정박하려다 거센 풍랑을 만나 실패하고 정처 없이 떠다니다 류큐국 호산도에 정박한 것이 12월 28일이니 제주를 출발한 지 나흘째 되는 날입니다. 위 기록을 근거로 유추해보면 장한철은 호산도에서부터 일기를 쓰기 시작했다는 이야기지요. 오늘날 전해지고 있는 『표해록』은 이를 근거로 하여 표류를 마감하고 서울로 올라가 회시에서 낙방한 후 고향에 돌아온, 그의 나이 27~28세 때 쓴 것으로 추정할 수 있겠습니다. 그 이후 1775년(영조 51년) 32세의 나이로 문과에 급제하고 성균관의 여러 직책을 역임하면서 이미 써놓은 『표해록』을 여러 부 필사하여 주변 사람들에게 나누어 준 것으로 짐작할 수 있습니다. 그런 이유로 오늘날 필사본으로는 두 가지가 전해지고 있는데 하나는 국립제주박물관에 위탁, 보관되어 있는 『표해록』이고, 다른 하나는 국립중앙박물관에 소장된 『표해록』(일명 심성재 필사본)이 그것이지요.

여기 소개하고 있는 김지홍 교수가 옮긴 『표해록』은 국립제주박물관에 있는 필사본을 저본으로 삼으면서 국립중앙도서관이 소장하고 있는 심성재 필사본과 다른 점을 각주에 밝혀 독자들의 이해를 한층 돕고 있지요.

극한의 표류 상황을 기록으로 남기다

이른바 대부분의 표해문학이 그러하듯이 장한철의 『표해록』 또한 인간의 극한을 체험한 내용이 주를 이루고 있는데 특이한 점은 감정 표현이 지나칠 정도로 적나라하게 드러나고 있다는 점입니다. 더군다나 장한철이 유가(儒家)라는 점을 감안한다면 어느 정도 감정의 절제가 드러날 법도 한데 인간의 본능 앞에서는 어쩔 수가 없나 봅니다. 거친 풍랑을 만나 배가 노화도 앞에 도착하자 사공은 이 섬에 배를 정박하려고 합니다. 그런데 준비한 닻이 갈고리가 세 가닥인 게 아니라서 바다 바닥에 달라붙지 않아 정박할 수가 없게 됩니다. 이 광경을 장한철은 이렇게 적고 있습니다.

이때 배가 머물러 정박하지도 못했는데, 동풍이 크게 일었다. 그러자 배가 바람이 몰아가는 대로 끌려 서쪽 큰 바다로 표류해 갔다. 노화도를 돌아보니, 이미 잠깐 사이에 아득하게 멀어졌다. 사나운 바람과 모진 파도에 외로운 배가 오르락내리락했다. 높이 솟아오를 때면 푸른 하늘 위로 나가는 듯했고, 낮게 내려갈 때면 만 길 아래의 바다 바닥으로 들어가는 듯했다. 배 안에 있는 사람들은 노화도에서부터 바람을 만난 뒤, 스스로 자신의 운수가 지레 반드시 죽을 것으로 여겼다. 뱃멀미로 어지러워 아득하게 정신을 차리지 못하는 이가 아니라면, 오직 슬프게 부르짖으며 통곡하는 짓만 일삼았다.

한 치 앞을 내다볼 수 없는 표류 상황은 인간의 내면을 드러나게 하는가 봅니다. 천지를 가늠하고 지금 표류하는 배가 한라산 정남에 있고 류큐의 경계가 가까웠음을 알게 되자 그는 뱃사람들에게 차고 있던 호패를 모두 바닷속에 던져버리라 합니다. 류큐에 도착한 뒤에 제주 사람의 흔적이 드러나지 않도록 함이지요. 밤이 되자 슬픔이 몰려옵니다. 목숨 길이 험하고 운도 나쁘며 표류하는 신세를 생각하니 눈물이 옷섶을 적십니다. 고향 제주에 두고 온 처자식 생각이 앞을 가립니다.

약한 아내와 외로운 아이를 생각하니, 식구들이 장차 어떻게 살아나갈까? 만약 하늘의 도움을 입어 아들 봉득(鳳得)이가 병

없이 성장한다면, 돌아가신 아버지 제사를 맡길 수 있고, 남쪽 바다에서 죽은 내 영혼을 불러 위로할 수 있을 것이다. 그렇다고 하더라도 아직 아들의 나이가 너무 어리고, 집안도 가난하여 밥그릇이 텅텅 비어 있다. 어찌 가히 먹고살면서 제대로 클 수 있으랴. 만일 내가 다행히 죽지 않는다 하더라도, 살아서 장차 언제 고국으로 돌아갈 수 있을 것인가.

우여곡절 끝에 장한철 일행은 월남 상선에 의해 구조되었으나 도중에 제주 사람임이 알려지자 과거에 제주목사가 월남 세자를 죽였다며 분개하는 월남 상인들에 의해 다시 내쫓김을 당해 표류하게 됩니다. 결국 망망대해의 일엽편주 신세가 되어 정처 없이 떠돌다가 풍랑을 만나 배는 산산이 부서지고 장한철의 일행은 청산도에 구사일생으로 상륙하게 됩니다. 그 당시의 상황을 그는 다음과 같이 기록하고 있습니다.

이때 밤이 이미 자정을 지났다. 눈과 바람은 그치지 않고, 선체는 이미 잃어버려, 어디에 있는지, 어느 곳으로 떠내려갔는지 알 수조차 없었다. 당초 배에 탄 사람이 29명이었다. 그러나 이제 해안에 상륙한 사람이 겨우 10명이었다. 물에 빠져 죽은 사람이 19명이나 되었다. 참혹하고 지독한 마음으로 애간장이 마르는 듯했다. 여러 사람들이 비록 다행스럽게 뭍에 올라왔지만,

옷이 홀딱 젖어 배고픔과 추위가 도리어 더욱 심해졌다. 거의 버티어 살아날 가망이 없었다.

구사일생으로 살아남은 10명은 지척을 분간할 수 없는 칠흑 어둠을 뚫고 벼랑을 기어오릅니다. 그러다가 장한철은 발을 헛디뎌 절벽 아래로 떨어지고 맙니다. 그런데 절벽 아래 한 길 남짓 허리띠처럼 층계가 진 벼랑이 드리워져 있었고 장한철은 대나무들 사이에 걸려 죽음을 면하게 됩니다. 겨우 정신을 가다듬고 열 걸음에 아홉 번 구르면서 어디로 가는지도 모른 채 죽음의 나락을 헤쳐 나옵니다. 소리 높여 뱃사람을 불러보았으나 인기척이 없습니다. 그렇게 10여 리를 가다보니 불빛이 붉어졌다가 푸르러지면서 갑자기 사라집니다. 비로소 도깨비불에 홀려 끌려왔음을 깨닫게 됩니다. 기억의 끈을 놓는 순간 뱃사람 일행과 마주치게 되고 장한철은 목숨을 부지하게 됩니다.

나중에 정신을 차려 확인해보니 그 와중에 2명이 절벽에서 떨어져 유명을 달리합니다.

섬사람 김만련의 도움으로 보릿가루, 초 찌꺼기, 치자 열매 세 가지를 달걀노른자에 섞어 반죽한 떡 모양의 환을 만들어 상처 입은 곳에 붙여 하룻밤 만에 효과를 본 장만철은 21그릇의 메를 해안가에 진설하도록 부탁하여 바다를 향해 지방을 세우고 죽은 21명의 영혼에게 제를 지내는데, 그의 절절한 마음이 고스란히 담겨 있는 제문의 일부를 소개합니다.

만리풍파 노도에 외로운 배를 같이 타고, 한 실오라기 생명이 아침 이슬 증발하듯 침몰하려 할 때, 반드시 내가 살면 그대도 살고, 그대가 죽으면 나 역시 죽기로 했건만 그대는 바다 한가운데에서 바람에 밀려 날아가버려도 나는 손을 내밀어 당겨주지도 못했고, 그대가 해안 바깥에서 물에 빠져 죽어가도 나는 손을 뻗어 구해주지도 못했으며, 그대가 깎아지른 절벽에서 발을 헛디뎌 바다에 떨어져도 나는 구조해주지도 못했도다. 아, 슬프고 슬프도다! 함께 귀신 세계의 문턱을 넘나들며 그 정이 도탑지 않음이 없었지만, 오늘 죽음과 삶을 달리 했으니 이 어찌 사람이 능히 할 수 있는 것이랴!

삶과 죽음의 갈림길에서 싹튼 사랑

장한철의 『표해록』이 다른 표해문학과 다른 점은 연애담을 소개하고 있다는 점입니다. 그 내용의 진위 여부를 떠나 연애담을 소개할 때는 일반적으로 제3자의 이야기처럼 서술하는 것이 관례이나 이 글에서는 자신이 직접 체험한 내용으로 1인칭 서술을 취하고 있습니다. 물론 표해문학도 큰 틀에서는 문학임이 분명할진대 어디까지가 사실이고 어디서부터가 허구인지는 쉽게 가늠할 수가 없지만, 꿈속에서 만났던 여인과 하룻밤 사랑을 나누는 장면을 접하면 삶과 죽음의 극한 상황에서도 남녀 간의 사랑만큼은 문학의 영원한 주제가 아닐 수 없겠다는 생각입니다.

17세에 시집을 갔지만 이듬해 지아비를 여읜 여인이, 어차피 땅 설고 물 설은 섬을 벗어나 과거를 치르러 떠나야만 하는 장한철에게 들려주는 이별 장면은 가슴 아프기까지 합니다.

> 저의 박명함을 돌아보니 태어나지 않음만 같지 않습니다. 저의 어머니 겨레붙이들이 육지에 많이 있습니다. 혹 전라도 장흥부의 아전으로 있거나, 혹 벽사역의 아전으로 있습니다. 제가 응당 어머니 친척에 의탁하여, 낭군이 과거에 합격하기만을 기다리겠습니다. 이 섬 안을 돌아보니, 사람 사는 기척도 드물고, 잉어나 기러기가 날라다 주는 편지도 받기 어렵습니다. 어찌 가히 이 섬 안에서 늙을 수 있겠습니까? 낭군이 저를 버리지 않는다면, 가히 남풍이 불 때를 말미암아 좋은 소식을 듣게 은혜를 베푸소서. 저는 5년을 기한으로 하여 기다리겠습니다. 낭군이 기한이 지나도 오지 않으면, 몸을 굽혀 비로소 다른 집에 시집을 가겠습니다.

꿈속에서 술상을 차려 올린 그 여인과의 사랑은 여기까지입니다. 1월 14일 고금도로 나와 강진을 거쳐 서울로 입성한 장한철은 회시에 낙방하여 1771년 5월 제주로 돌아옵니다.

고향으로 돌아왔다. 만 번 죽고 남은 목숨을 돌아보며 중부 쌍오당을 찾아 절을 하고 뵈었다. 다시 아내와 자식과 온 집안 친척들을 만났다. 슬프고 기뻐서 환호와 눈물이 함께 쏟아졌다.

『표해록』의 마지막 기록인 5월 8일은 이렇게 시작합니다. 그리고 함께 동행했다가 생존한 7명을 돌아보니 2명은 병이 들었고 1명은 한라산 남쪽에 살고 있었고 4명은 이미 죽어 장한철은 그 무덤에 가서 곡을 합니다. 옆에 있던 조문객이 장한철에게 묻습니다.

조문객 : 내가 듣건대, 물건은 변화를 입어야 재목이 된다고 했습니다. 사람은 어려움을 거쳐야 지혜가 밝아진다고 했습니다. 이는 선생을 두고 이르는 말이 아니겠습까?

장한철 : 아아, 길손이 어찌 나의 뜻을 알겠습니까? 아직 지혜가 밝아지지도 않았고 재목이 되지도 않았지만, 오히려 감히 그런 데에 거처하고 싶지 않을뿐더러, 또한 이런 이름을 피하고 싶은 것을! 그대는 듣지 못하였습니까? 재목이 될 나무는 먼

저 벌채되고, 향이 될 나무는 먼저 향로 불에 태워진다는 것을! 장홍(萇弘)도 지혜로웠지만 곤경을 겪었고, 조착(鼂錯)도 지혜로웠지만 죽임을 당하지 않았습니까? 물건의 재앙은 재목이 되는 데에서 생겨나고, 사람의 재앙은 지혜로운 데에서 생겨납니다. 내가 어찌 이런 재목과 지혜에 거주하겠습니까? 대저 통달한 사람은 복이 기울 것을 알므로, 복이 오는 것을 기뻐하지 않습니다. 화가 엎드려 있음을 알므로, 화를 만나는 일을 걱정하지 않습니다. 이를 얻어도 이익이라 여기지 않고, 이를 잃어도 손해로 여기지 않습니다. 이는 마음이 만 가지 조화와 더불어 그윽이 들어맞고 정신이 조물주와 더불어 노닐기 때문입니다.

장한철은 문답 형식을 빌어 『표해록』을 마무리합니다. 하루에도 수십 차례 죽음의 문턱을 넘나든 경험이 남은 생을 관조하게 만든 것이겠지요.

한담공원에서 바다를 거닐다

생가 주변을 서성이다 한담공원으로 발걸음을 옮깁니다. 지난해 11월에 세워진 '녹담거사 장한철 선생 표해 기념비'를 만나러 가는 길입니다. 기념비를 둘러보고 사진 몇 장을 남깁니다. 봄빛 가득한 바다를 바라봅니다. 그야말로 옥빛 바다입니다. 그냥 바라만 볼 수 없어 바닷가로 향합니다. 잘 다듬어진 산책로를 따라 신혼여행객으로 보이는 남녀 한 쌍이 다정히 걸어갑니다. 한 폭의 그림 같습니다. 장한철 선생이 나고 자라서 다시 오고 싶고 물빛이 너무 아름다워서 다시 오고 싶은 곳입니다. 다섯 달의 기나긴 표류에서 그가 살아 돌아온 5월, 봄날이 덧없이 가고 있습니다.

●

양제해를 다시 생각한다

○

『탐라직방설』(이강회 지음/현행복 옮김/각/2013)

지난 신구간에 간드락으로 집을 옮겼습니다. 허공에 매달려 살다가 땅기운이 물씬 묻어나는 지상으로 내려와서 그런지 눈높이에 맞춰 나란히 서 있는 푸르른 것들이 눈부시게 싱그럽습니다. 어디 그뿐이겠습니까? 팔자에 없는 손바닥만 한 텃밭도 딸려 있어서 농사에 문외한인 주제에 상추도 심고 고추도 심고 가지도 따고 깻잎도 따는 그 맛이 여간 쏠쏠한 게 아닙니다.

어스름이 되면 가벼운 차림으로 산책을 나섭니다. 집에서 나와 동네를 한 바퀴 돌고 걸머리 입구에 위치한 금산공원까지 걷습니다. 어른 키 높이의 돌덩이에 '걸머리'라 새겨진 글자가 선명합니다. 그 위에 불현듯 양제해(梁濟海)라는 이름 석 자가 겹칩니다. 지금으로부터 이백 년 전, 걸머리에서 젊음을 보내다 억울하게 생애를 마친 한 젊은 넋이 떠오릅니다. 이름하여 '양제해 모변사'.

걸머리 근처로 집을 옮기면서, 그의 이백 주년을 눈앞에 두고 이런저런 생각이 꼬리에 꼬리를 물었지만 무엇을 어떻게 해야 하는지 그저 망연하기만 합니다. 집으로 돌아와 『탐라직방설(耽羅職方說)』을 펼칩니다.

『탐라직방설』과의 만남

몇 해 전이었습니다. 예술 행사를 마치고 몇몇 벗들과 어우러져 두런두런 이야기를 나누다가 무슨 이유에서인지 이야깃거리가 '양제해'로 옮겨가면서 지금까지 알려진 이른바 '양제해 모변 사건'의 진상을 뒤집어놓을 자료가 곧 번역되어 소개될 것이라는 이야기를 듣게 되었고 얼마 지나지 않아 『탐라직방설』이라는 책과 대면하게 되었습니다. 제주문화의 원류를 찾아 발품을 아끼지 않는 출판사에서 이미 역사의 뒤안길로 사라진 한 인물을 끄집어내어 그에게 다시 숨결을 불어넣었다는 점에서도 무척 반가웠지만, 지근거리에서 보고 싶으면 언제든지 찾아뵐 수 있는 현행복 선생의 수고로움이 한 권의 책으로 완성되었다니 여간 반가운 일이 아니었습니다.

지역문화사 연구가 현행복 선생

아시는 분은 아시겠지만 현행복 선생은 〈우도 동굴음악회〉, 〈용연 선상음악회〉, 〈방선문 계곡음악회〉 등을 창안하고 공연을 직접 기획하고 주관하는 성악가이자 공연기획자입니다. 그런데 그에게는 언제부터인가 지역문화사 연구가라는 꼬리표가 하나 더 붙어 있습니다. 관광지로 유명한 용연의 마애명을 비롯하여 용연과 용두암에 얽힌 이야기와 각종 자료를 집대성한 『취병담(翠屛潭)』(각), 방선문의 마애명을 연대순으로 정리하여 사진 자료와 함께 소개한 『방선문(訪仙門)』(각) 등이 그의 역작입니다. 『취병담』이나 『방선문』이 공간과 자연에 대한 접근이었다면 『탐라직방설』은 시간과 인물에 대한 접근이라 할 수 있습니다. 그렇다면 그는 왜 이 책을 번역하게 되었을까요?

우연한 기회에 『탐라직방설』이라는 책을 보게 되었다. 이 책의 저자인 이강회(李剛會)란 사람은 한국의 역사학계에서 낯선 인물이었고, 게다가 이 책의 표제로 내세운 '직방(職方)'이란 말은 국어사전에서조차 찾아볼 수 없는 생소한 단어였다. 더구나 이 책의 제2권의 주요 내용인 '상찬계(相贊契)'란 조직의 명칭 또한 새삼스럽기는 매한가지였다. 결국 '탐라의 역사에 대한 무지의 소산'이란 자책감과 함께 보다 적극적인 연구의 필요성을 절감했다. 우선 이 소중한 자료를 나 혼자만이 간직할 게 아니라 여러 사람이 함께 공유할 수 있도록 널리 소개할 필요가 있다고 생각했다.

『탐라직방설』을 쓴 이강회는 누구인가?

현행복은 그가 옮긴 『탐라직방설』 책머리에 이강회의 발길을 찾아 우이도(소흑산도)에서의 2박 3일을 소개합니다. 다산 정약용의 형인 정약전의 유배지요 『탐라직방설』을 저술한 이강회가 '현주서옥(玄洲書屋)'이란 현판을 걸고 저술 활동에 몰두했던, 문순득(文淳得)의 후손이 살고 있는 집을 찾아 나선 길이었는데 안타깝게도 만나지 못합니다. 그렇다면 문순득과 이강회는 어떤 인연일까 궁금해집니다. 이강회는 정약용이 강진에서 가르친 제자였는데 다산이 유배에서 풀려 고향으로 돌아가자 이강회는 우이도로 들어갑니다. 문순득을 만나기 위해서지요. 문순득은 자기 배로 홍어를 무역하러 떠났다가 표류를 당해 필리핀까지 갔다가 중국 대륙을 돌아 압록강을 건너 3년 만에 고향에 돌아온 사람입니다. 당시 그곳에서 귀향살이를 하던 정약전은 그의 이야기를 「표해시말(漂海始末)」에 기록으로 남겼고, 이강회는 문순득과의 만남을 「운곡선설(雲谷船設)」에 남깁니다. 그리고 더 중요한 것은 바로 이곳 우이도에서 귀양살이하던 김익강(金益剛)을 만나 그로부터 제주도 이속(吏屬)들이 상찬계라는 모임을 만들어 백성들을 탐학했던 사실을 직접 확인하면서 『탐라직방설』 제2권에 해당하는 「상찬계시말(相贊契始末)」이라는 기록을 남기게 됩니다.

현행복은 『탐라직방설』의 제2권에 「상찬계시말」이라는 기록이 포함된 이유에 대해 이렇게 추정하고 있습니다.

> 제주와는 아무런 이해관계가 없으면서, 제주라는 땅을 한번 밟아보지 않고서도 오직 올바른 역사 인식에 바탕을 두고 민생 문제의 해결을 몸소 실천하려고 했던 19세기 조선 선비의 처절하면서도 투철한 선비 의식을, 이강회의 『탐라직방설』을 통해 확인하게 된다.

『탐라직방설』은 총 2권 1책으로 구성되어 있는데 제1권은 제주의 인문, 지리, 경제, 군사 시설에 관한 총체적인 보고서 형식의 글이고, 제2권은 「상찬계시말」로서 1813년에 발생한 양제해 관련 옥사(獄事) 사건의 내용과 그와 관련된 인물의 전기를 열전(列傳) 형식으로 함께 수록하고 있습니다. 다시 말해 1권의 내용이 '거시적 접근법에 의한 정태적인 서술'이라 한다면, 제2권 「상찬계시말」은 바로 '미시적 접근법에 의한 동태적 서술'이라 할 수 있을 것입니다.

양제해 모변(謀變)에 관한 기록들

먼저 이 사건을 처음으로 보고한 목사 김수기(金守基)의 장계 내용인데 이 내용은 『조선왕조실록』 순조 13년(1813) 12월 3일에 실려 있습니다.

양인(良人) 윤광종(尹光宗)의 진고한 내용에, '중면(中面, 지금의 제주시—필자)의 풍헌(風憲) 양제해는 원래 간힐(奸詰)하고 음특(陰慝)한 자로 항상 분수를 넘어 흉악한 짓을 하려는 생각을 품고 있다가, 서적(西賊, 1812년에 일어난 홍경래의 난을 말함—필자)이 일어났다는 말을 듣고는 무리를 모아 모반을 도모할 생각을 한 지가 오래였습니다. 마침내 앞장서서 떠들기를 "근래에 와서 섬 백성들의 부역이 너무 무거워 편히 살 수가 없다. 그러니 무리를 모아 힘을 합쳐서 제주 영읍의 네 관원(목사, 판관, 정의현감, 대정현감을 말함—필자)을 죽이고, 섬 전체를 내가 주장하여 섬의 배는 육지로 못 나가게 하고 육지의 배가 오면 재물은 빼앗고 배는 엎어버려서 북쪽으로 통하는 길을 일체 막아버린다면 마땅히 후환이 없을 것이고, 영구히 안락을 보장할 수 있다" 하면서 어리석은 백성들을 감언이설로 어르고 위협하여 선동해서 김익강, 고덕호, 강필방 등과 함께 속여서 불러 모아들이니 무리가 차츰 늘어났습니다. 그리하여 빈틈없이 배포(排布)하고 역사(力士)를 모집하고 병기를 만들어서, 이달 16일 밤에 주성(州城)에 돌입하여 변란을 일으키되, 정의와 대정에서도 같은 날 거병(擧兵)하기로 하였습니다"라고 하였으니, 너무도 듣기에 놀라고 분하여 양제해와 그 무리들을 추적, 체포하여 엄중히 문초한 결과 일일이 자백하였으므로 모조리 굳게 가두었으며, 양제해가 오라를 풀고 도망하므로 즉시 잡아다가 다시 가두었습니다.

한편 김석익(金錫翼)의 『탐라기년(耽羅紀年)』의 기사에는 이때의 일을 '양제해 고변사(告變事)'로 간략히 소개하고 있습니다.

순조 13년(1813년) 겨울, 토교(土校) 윤광종이 양제해 부자(父子)가 작란(作亂)을 도모한다고 고발하니 목사 김수기가 체포하여 아뢰었다. 때에 간리(奸吏)가 일을 함에 백성에 원망을 사는 자가 많았다. 제해와 광종 등이 사사로이 의논하여 간리를 제거한다고 했는데 그 모의를 광종이 간리의 무리들에게 누설하여 먼저 변을 고하니 제해 및 그 친당 수십 인을 체포하여 옥에 걸어 형국하였다.

제주도에서 2006년에 발간한 『제주도지』 제2권 '역사 편'에는 이 사건이 '양제해의 모변'으로 기록, 정리되어 있습니다.

순조13년(1813) 12월에 양제해 등이 꾀했던 변란이다. 사건의 주모자인 양제해는 당시 중면(지금의 제주시) 의 풍헌(風憲)이었다. 순조 11년에 서도(西道)에서 홍경래의 난이 일어났다는 소식을 듣고 이에 자극되어 변란을 도모했다. 그는 "근래에 와서 섬백성의 부역이 너무 무거워서 편히 살 수가 없다. 그러니 무리를 모으고 힘을 합쳐서 제주 영읍의 네 관원을 죽이고, 섬 전체를 내가 주장하여 섬 안의 배는 육지로 나가지 못하게 하고 육지의 배가 오면 재물을 빼앗고 배는 뒤엎어놓고 북쪽으로 통하는 길을 일체 막아버린다면 후환이 없이 영구히 안락하게 살아나갈 수 있다"고 하면서 김익강, 고덕호, 강필방 등과 함께 민중을 불러 모으고, 12월 16일 밤에 거사하여 제주성으로 들어가 변란을 일으키되, 정의와 대정에서도 같은 날 거병하기로 하였다. 그러나 양인 윤광종의 진고(陳告)를 받은 제주 목사 김수기는 순조 13년 12월 초4일에 즉시 양제해와 그 무리 50여 명을 추적, 체포하고 조정에 보고하였다.

「상찬계시말」에 기록된 '양제해 사건'

그날의 사건에 대해 순조 13년(1813)과 2006년에 발간된 『제주도지』의 기록은 놀라우리만치 똑같습니다. 다시 말해서 이른바 양제해 모변 사건이 일어난 지 200년이 지나는 동안 양제해 사건은 '모변'에서 김석익에 의해 '고변'으로 잠시 바뀌었다가 다시 '모변'으로 돌아온 셈입니다.

그렇다면 「상찬계시말」에는 이 사건을 어떻게 기록하고 있을지 궁금합니다. 앞에서도 언급이 있었지만 「상찬계시말」은 이강회가 이른바 양제해의 모변으로 말미암아 우이도로 유배온 양제해의 장인 김익강의 구술을 정리한 기록입니다.

먼저 이강회가 왜 이러한 글을 기록으로 남겨야 했는지를 보겠습니다.

> 생각건대 이 편(編)은 '직방(職方)'과는 무관하다. 그러나 이것은 제주의 큰 옥사 사건이기에 대략 들은 바를 기록해둠으로써 군자(君子)의 올바른 역사 집필을 맞이하기 위함이다. 무릇 이미 골육의 억울한 혼백들이 제대로 펼 수 없어 떠돌아다니고 있음은, 아직도 계(契)의 소굴이 자라나지 못하도록 파괴되지 않았기 때문이다. 제주란 곳은 천연의 참호로 안으로는 강고한 지역이다. 저 상찬계의 교만하고 사치하고 음탕하고 과다함이

이르는 곳마다 극에 달하여 반드시 크게 넘쳐 났으니 서주(西州)의 다복동(多福洞)이 곧 탐라 고을의 상찬계였다.

「상찬계시말」이 1818년 10월경에 쓰였으니 이른바 양제해 사건이 일어난 지 5년 뒤의 분석입니다. 상찬계의 가렴주구를 폭로하고 있는데, 한양에서 가장 멀리 떨어져 수탈과 학대와 착취를 일삼는 데 있어서 천혐의 요새라는 지리적인 조건에 인성적 요인까지 결부되어 결국 제주는 홍경래의 비밀 아지트이자 반란의 근거지인 다복동과 다름없었음을 말하고 있는 것입니다.

상찬계는 글자 그대로 '서로 무리를 지어 찬조하는 조직'을 말합니다. 1810년대 초기에 진무리(鎭撫吏), 향리(鄕吏), 가리(假吏) 800여 명 가운데 300여 명으로 구성되어 제주의 이권과 돈줄을 독점하면서 온갖 가렴주구를 일삼고 '여럿이 함께 부자가 되자'는 구호 아래 뭉치기 시작하여 '돈을 유일한 신(神)'으로 치부하는 아전 조직인 것입니다.

제주 백성을 대상으로 그렇게 긁어모은 상찬계 구성원들의 가렴주구를 김익강은 이렇게 표현하고 있습니다.

용연에서의 뱃놀이, 귤림(橘林) 속에서의 완상(玩賞), 장월(將月)에서의 달맞이 모임 등은 음탕한 음악과 진귀한 음식들을 차려놓은 궁실에서의 광경처럼 각양각색 다르고 기이한 것들이라. 몸에 걸치는 의복은 모두가 가벼우면서도 따뜻한 옷감이라 손과 발을 잘 막아준다. 죄와 악이 절로 숨겨지고, 신(神)과 귀(鬼)가 서로 호위하며, 한라산도 뽑을 수 있는 지경이라 기생방에서는 온갖 음모들이 넘쳐난다.

양제해 '모변'의 실체는 무엇인가?

『탐라직방설』 제2권에는 「상찬계시말」 이외에도 세 인물에 대한 전기를 소개하고 있는데 '이도철전(李道喆傳)'과 '양제해전(梁濟海傳)' 그리고 '김익강전(金益剛傳)'이 그것입니다. 먼저 핵심 인물인 양제해에 대한 기록을 살펴보겠습니다.

양제해는 경인년(1770)년에 지금의 제주시 아라동 걸머리(巨馬村)에서 태어났습니다. 집안이 가난하여 문장을 배우거나 글자를 익히지는 못하였으나 사람됨이 훌륭하여 네 번이나 향감(鄕監)을 역임했고, 두 번 찰방헌리(察防憲吏)를 역임합니다. 그의 장인인 김익강에 의하면 "양제해는 사람 좋고(好人), 위아래 없이 똑같이 대접하고(公平), 돈을 밝히지 않으며(廉), 백성을 어여삐 여기니(愛民), 누구나가 보기에도 이런 사람이 또 있을까 싶을 정도였다"고 평가합니다.

때는 순조 13년(1813) 10월 그믐날 30여 명 남짓한 백성들이 걸머리에 모여듭니다. 양제해가 소집한 회의였습니다. 명분은 공사를 고지하기 위한 회의였지만 상찬계의 횡포를 더는 두고 볼 수 없어 소집한 모임이었지요. 참석자들로부터 상찬계의 전횡에 대한 불만이 터져 나오는 가운데 양제해가 입을 엽니다.

> 아전의 간사한 소굴인 상찬계를 쳐부수고 난 후에야 백성들이 살 수 있을 것이다. 그러기 위해서는 누군가 장두(狀頭)가 되어 맨 먼저 욕을 당해야 한다. 이 마을에 장두가 될 만한 사람이 있는가?

이 말을 들은 사람들이 하나같이 양제해를 장두로 추천하니 양제해는 "그러면 좋소. 어디 좋은 문장으로 이런 상황이 초래된 연유를 소상히 밝히는 초안을 우선 만들어보도록 합시다. 나는 장차 백성을 위해 한 번 죽지 두 번 죽지 않겠소"라는 말과 함께 모임을 마무리하고 각자 집으로 흩어집니다.

양제해 모반의 전말은 바로 여기까지입니다. 상찬계 무리의 횡포에 대한 분노를 공유하고 양제해가 주동이 되어 글을 아는 자가 장계를 작성하면 뜻을 같이하는 자들과 함께 관아에 가서 등소(等訴)를 올리자는 게 내용의 전부입니다. 언제까지 등소문을 작성하고, 언제 관아에 가자는 구체적인 계획도 없었던 것입니다.

그런데 이러한 단순한 모임이 국가의 전복을 시도한 '반란 모의' 사건으로 탈바꿈되고 맙니다. 그날 밤 양제해는 집으로 돌아가 코를 골면서 자다가 체포되어 목 관아의 동헌 뜰에 끌려갑니다. 그날 모임에 참석했던 제해의 어릴 적 동무이자, 상찬계의 핵심인 김재검(金載儉)의 수하인 윤광종이 고자질을 했기 때문입니다. 광종의 고자질을 들은 재검은 이렇게 말합니다.

> 나는 양(梁, 양제해를 말함—필자)을 잘 안다. 한 주(州)의 인민을 통틀어 이 계(상찬계를 말함—필자)의 근혈(根穴)을 가장 잘 아는 사람이다. 그래서 우리들이 매번 양(梁)을 우리 계로 끌어들이려 노력했으나 결국 실패하고 말아 늘상 두렵고 조심해왔노라. 저들이 이미 한쪽을 편들었으니 이제 저들은 거짓말을 할 사람이 아니다. 죽더라도 뜻을 굽히지 않을 것이니 결국에는 우리가 도마 위에 칼이 놓인 격이 아니겠는가? 우리의 신(神)이 비록 다수라 하나 우리가 직접 해결할 방도가 없으니 마음이 급하다. 가볍게 여겨서는 안 될 것이니 무슨 수를 써서라도 저들에게 뒤집어 씌워 죄를 만들어야 할 것이다.

상황은 급박하게 돌아갑니다. 바로 그날 밤 윤광종의 이름으로 고변장(告變狀)을 작성하여 목사에게 제출하는 한편 포졸을 대기시켜 목사로 하여금 체포령을 내리게 합니다. 동헌 뜰에는 양제해 일당을 문초할 고문 기구도 갖다 놓습니다. 제해가 잡혀 오고 목사의 국문(鞫問)이 시작됩니다.

"너는 누구이며, 어떻게 감히 모변(謀變)을 시도하였느냐?"

"양 씨라는 섬사람이오. 모변이라는 말은 아직 익혀본 바도, 들어본 바도 없거늘 어찌 그런 일을 할 수 있단 말입니까? 아울러 글자를 엮을 줄도 모르고, '모변'이란 말을 미처 풀이할 수도 없는 처지에서 그게 무슨 뜻이란 말입니까?"

제해에게 돌아온 것은 독형(毒刑)이었습니다. 좌우에서 세모서리가 난 작대기로 매를 다스립니다. 절굿공이 같은 곤장이 부러질 정도를 매질을 합니다. 제해의 혼은 이미 공중에 떠 있는 상태가 됩니다. 모진 매질에도 불구하고 제해는 모반은 전혀 모르는 사실이며 상찬계의 폐단을 등소하기 위해 모였다는 얘기를 반복할 뿐입니다. 할 수 없이 목사는 제해를 옥에 가두도록 합니다. 감옥을 지키는 자가 측은하고 불쌍한 생각에서 머리에 씌운 칼과 포승을 벗기고 정해진 집에서 자도록 풀어줍니다. 이미 지독한 곤장 세례를 받았기에 살아날 가망성이 없다고 판단했기 때문입니다. 제해는 몸을 던져 죽을 곳을 찾았으나 때는 겨울이라 그러지도 못합니다. 결국 제해는 다시 잡혀와 옥에 갇혔고 마침내 숨을 거두게 됩니다. 결국 이로 말미암아 제해의 큰아들 일회(日會)는 효수를 당하게 되고 둘째 일신(日新)은 외딴섬으로 정배되었으며 대역죄인으로 낙인이 찍혀 집안은 폐족이 되고 맙니다.

다시 걸머리에서

『탐라직방설』을 접으면서 생각합니다. 내년이면 상찬계의 횡포를 등소하여 섬 백성들의 부당한 피해 사실을 고발하려던 양제해가 모반 사건의 주범이라는 누명을 쓰고 비명에 죽어간 지 200년이 되는 해입니다. 이 책이 없었으면 『조선왕조실록』만을 근간으로 오늘에 이르기까지 그리고 앞으로도 양제해는 반역의 장두로 낙인찍혀 있을 것입니다. 그런 연유에서인지 이 강회의 한 맺힌 절규가 200년을 뛰어넘어 가슴 깊이 절절하게 사무칩니다.

> 제주 백성들이여! 어찌해서 양제해의 영혼에 한 번도 제(祭)를 지내지 않는가? 어찌해서 그의 고혼(孤魂)을 한 번도 위무(慰撫)하지 않는가?

3부

●

문학으로 재기억되는 젊은 4·3

'제주 4·3'과 만나기까지

여러분 안녕하십니까?

'제주 4·3'이라는, 결코 편하지 않은 주제임에도 불구하고 제주 4·3에 대해 여러분들과 함께 생각을 나누게 된 것을 무척 기쁘게 생각합니다. 저는 역사학자도 아니고 4·3 희생자 유족도 아닙니다. 그저 시를 쓰고 학생들에게 국어를 가르치는 교사입니다. 그나마 4·3과 관련된 시를 쓰면서 교사라는 이유 때문에 제가 이 자리에 설 수 있지 않았나 생각합니다.

저는 제주에서 나고 자라 지금도 제주에서 살고 있습니다. 이른바 토박이인 셈입니다. 대학도 제주에서 다녔고 군복무도 제주에서 마쳤기 때문에 이 섬을 떠나 살아본 적이 없습니다. 살아봐야 고작 일주일 정도가 전부였지요. 제주가 좋아서 그리된 것은 결코 아닙니다. 학창 시절 저의 유일한 꿈이자 희망은 제주라는 '섬'을 벗어나는 것이었습니다. 이른바 출세(出世)를 꿈꾸었지요. 어린 시절을 바닷가 마을에서 살았는데 유일한 놀이터가 바다였지요. 학교가 끝나면 가방을 든 채 친구들과 어울려 바다로 갑니다. 홀라당 옷을 벗고, 벗은 옷이 바람에 날리지 않게 돌멩이로 잘 짓누른 다음 바다로 들어갑니다. 땅에서만큼 바다에서도 편안합니다. 오히려 바다가 더 편한지도 모르겠습니다. 우선 지천에 먹을 것이 널려 있었으니까요. 소라, 전복, 해삼 등등 눈에 보이는 것은 다 먹거리입니다. 소라를 잡으면 먹돌로 탁탁 두드려 껍데기를 부순 다음 속살을 빼 먹습니다. 자연산을 산 채로 먹었으니 오죽이나 싱싱하겠습니까. 성게도 마찬가지입니다. 성게는 가시가 매우 날카로운데 섬 아이들한테는 아무것도 아닙니다. 성게도 소라처럼 먹돌로 탁탁 두드리면 반쪽이 나면서 그 속에는 노란 성게알이 굶주린 섬 아이들을 유혹하지요. 점심과 저녁을 바다에서 해결한 아이들은 어스름 저녁에 집으로 갑니다.

문제는 집입니다. 물론 너나없이 가난한 시절이었지만 집 안

구석구석 덕지덕지 붙어 있는 가난이 싫었습니다. 어머니는 일터에서 아직 돌아오기 전입니다. 어린 누이가 어머니를 대신해 부엌에서 저녁을 준비합니다. 저녁을 마칠 무렵 피곤에 지친 어머니가 돌아옵니다. 저녁을 뜨는 둥 마는 둥 밥상을 물리고 씻는 둥 마는 둥 잠자리에 듭니다. 그러고는 새벽에 다시 일터로 가십니다. 우리는 우리끼리 아침상을 대강 차려 먹고 주섬주섬 학교로 갑니다. 이런 반복되는 일상이 너무 싫었습니다.

머리가 커지면서 바다는 놀이터에서 상념의 공간으로 바뀝니다. 학교를 마치고 집에 돌아오면 혼자 슬그머니 바다로 나갑니다. 거침없는 바다가 눈앞에 펼쳐집니다. 가슴이 시원해집니다. 닫힌 숨통이 트이는 듯합니다. 수평선을 바라보며, 한때는 넘을 수 없는 경계였으나 꼭 넘어야 한다고 생각했습니다. 저 너머에 내가 살아갈 희망이 틀림없이 있을 거라 생각했습니다. 저 수평선을 넘기 위해서는 열심히 공부해야 한다는 사실을 모르는 것은 아니었지만 결국 그러지 못했습니다. 고등학교를 졸업했지만 떠나고 싶었던 그 섬에 다시 갇히게 된 것입니다.

이왕 제주에 갇히게 된 바에야 제주에 대해서 좀 더 알아야겠다는 생각을 했습니다. 저는 제주 시내에서 나고 자라 시골을 둘러볼 기회라고는 일 년에 한두 번 아버지의 고향에 제사를 지내러 가는 게 고작이었습니다. 가서도 아무 생각 없이 흰 쌀밥과 고깃국에만 관심이 있었지 그 나머지에 대해서는 알려고도 하지 않았고 알 필요성도 전혀 느끼지 못했지요. 학생을 가르치는 아르바이트를 하면서 들어오는 작은 수입으로 벗들과 어울려 술 마시는 비용을 줄이고 섬의 구석구석을 찾아 나선 때가 바로 그 무렵입니다. 우선 오만분의 일로 축소된 제주도 지도를 구입했습니다. 그때까지 나와 있는 지도 중에 가장 큰 지도였지요. 요즘은 구글이니 뭐니 해서 인터넷으로 원하는 지형을 한눈에 찾을 수 있지만 그때는 어림도 없었습니다. 내 기억으로는 24장으로 되어 있는 지도였는데 주말이 되면 터미널로 가서 시외버스를 타고 무작정 떠나는 것이었습니다.

아마도 내 4·3문학의 출발은 거기부터가 아닌가 합니다. 마을 입구에서 내리면 어김없이 아름드리 폭낭이 나를 반깁니다. 표준어로 팽나무인 폭낭의 나이는 그 마을의 역사와 일치합니다. 사람이 들어와 살기 시작하면서 폭낭을 심었기 때문에 그렇지요. 폭낭 아래는 마을 어르신들이 앉아서 장기를 두거나 낮잠을 즐기고 계십니다. 지금은 교통수단이 발달해서 마을에 낯선 사람이 와도 아무런 반응이 없지만 그때만 해도 낯선 사람이 찾으면 어디서 왔느냐, 무슨 일로 왔느냐 하면서 관심을 보이십니다. 미리 준비한 소주병을 까면서 마을의 역사에 대해 알고 싶어서 왔다고 하면 마치 제 일처럼 자세히 찬찬히 말씀을 하십니다. 그러다가 어느 지점에 오면 이야기가 딱 끊기고 마는 겁니다. "에… 그때 일은 몰라도 좋아. 다 지나가분 일인디… 고라봐야 소용도 없고….” 더 이상 말씀이 없으십니다. 다른 마을에서도 마찬가지였습니다. 더 이상 이야기를 할 수 없는 바로 그 지점이 ‘제주 4·3’이었음을 나중에야 알았습니다.

그 무렵 저는 제주시 동쪽 중산간 마을인 낙선동이라는 마을에 들렀습니다. 그때의 느낌을 시로 적어보았는데, 제가 쓴 첫 번째 4·3 시가 아닌가 합니다.

낙선동에선
그날의 바람을 되새기지 않는다
그래서 낙선동 사람들은
동네 제삿날 한자리를 하더라도
비룟값 오른 이야기를 주고받고
농협 융자금 걱정이나 하면서 밤을 지새운다
그러다가 가끔씩
나지막한 목소리로 바깥세상 이야기를 할 뿐
그날의 바람에 대해선 아무 말이 없다

사십 년이 지난 지금
낙선동 성담 위로 비가 뿌리면
밤잠을 자지 못하고 뒤척이는 사람이
한둘이 아니다

들창을 열고 어둠에 밀려오는 빗줄기를 보며
초점 잃은 얼굴을 하는 사람이
한둘이 아니다
초등학교 운동장에서
마을 건너 동백동산에서
산에서 들에서 길에서
외마디 소리 비명 소리
흐느끼는 소리 자지러지는 소리
아이 우는 소리 초가 타는 소리
통곡 소리 미친 웃음소리
하늘 무너지는 소리가 귓가에 쟁쟁인다는
그런 사람이 한둘이 아니다

— 졸시, 「낙선동」 전문

그때까지만 해도 '제주 4·3'은 금기의 언어였습니다. 말해서도 안 되고 들어서도 안 되는 이미 '죽은 역사'였습니다. 고향의 선배이신 소설가 현기영 선생이 소설 「순이 삼촌」을 탈고하신 게 1978년입니다. 제주 4·3 당시, 북촌이라는 마을에서 하루 동안에 벌어진 대학살을 처음으로 고발하여 문단뿐만이 아니라 한국 사회에 커다란 충격을 던진 작품이지요. 현기영 선생은 그 작품을 탈고하고 얼마 지나지 않아 모 기관에 끌려가

한 달 동안 죽지 않을 만큼 고문을 당하고 풀려나십니다. 작품 또한 금서 목록에 올라 그 책을 읽는 사람도 사상범으로 간주되는 참혹한 시절이었습니다.

참고로 현기영 선생 얘기가 나왔으니 『순이 삼촌』 말고 한 권만 더 소개하겠습니다. 『똥깅이』라는 제목의 청소년 소설입니다. 이 소설의 앞부분에 '작가의 말'이 있는데 그 일부를 소개합니다.

> 『똥깅이』는 『지상에 숟가락 하나』를 청소년을 위한 버전으로 내는 책입니다. 원작인 『지상에 숟가락 하나』는 첫 출간 이래 9년 동안 과분하게도 45만 독자의 호응을 얻어왔는데, 그것은 잃어버린 유년, 잃어버린 자연에 대한 현대인의 향수를 이 소설이 서툴게나마 진지하게 일깨워주고 있기 때문이 아닌가 생각합니다.
>
> 『똥깅이』는 원작에 비해 4·3사건과 관련된 부분이 일부 생략되어 있습니다. 제주4·3의 대참사는 청소년(특히 초등생과 중학생)의 여린 정서로는 감당하기 어렵고 이해하기 어려운 큰 슬픔이라는 생각에서 그렇게 하였습니다. 그래서 원작에서 벅차기까지 한 슬픈 그늘이 줄어든 이 소설은 전반적으로 경쾌하고 밝은 분위기를 띠게 되었습니다. 만약 이 소설을 재미있게 읽은 어린 독자라면 좀 더 자라서 반드시 4·3의 역사와 만나기

를 소망합니다.

청소년의 4·3문학 다시 읽기

이야기가 좀 길어졌습니다. 제가 여러분들에게 오늘 하고 싶은 이야기는 지금까지 이야기가 아니라, 여러분 또래의 청소년들은 그렇다면 '제주 4·3을 어떻게 알고 있을까?', '알고 있으면 어떻게 기억하고 표현하고 있을까?'에 대해서 생각을 나누고 싶었습니다.

여러분은 '고향'에 대해 어떻게 생각하는지요? '태어난 곳'이 고향이라면 아마 여기 앉아 있는 대부분의 학생들은 고향이 아마도 ○○병원 산부인과 수술실이겠지요. 그 수술실이 1층이 아니라 지상 몇 층에 있다면 여러분은 허공에서 태어난 겁니다. 혹시 여러분이 태어난 병원이 재개발 지역에 있거나, 어떤 이유로 허물어졌다면 여러분의 고향은 지금 흔적도 없이 사라진 셈이 되겠지요.

그런데 태어나서 자란 곳이 고향이면 생각이 좀 달라집니다. 부모님을 비롯하여 나를 길러준 내 고향의 하늘과 바람과 땅과 물과 꽃과 나무들이 바로 내 고향이자 고향의 일부이지요. 그렇다면 여러분은 그 고향에 대해 얼마나 관심이 있고 또 얼마나 알고 있는지요? 청소년 4·3문학을 말하기에 앞서 이 자리가 먼저 자기가 나고 자란 고향에 대해 생각할 수 있는 조그만 계기가 되었으면 합니다. 여러분, 5·18광주민주화운동이라고 아시죠? 아마 이 캠프에 참가한 여러분들은 그나마 우리 역사에 관심을 가지고 있는 학생들이라 믿고 싶습니다. 그런데 놀라운 것은 1980년 광주에서 일어난 5·18광주민주화운동에 대해서 정작 광주에서 학교를 다니는 학생들도 잘 모른다는 보도를 본 적이 있습니다. 지금으로부터 30여 년 전의 역사를 기억하지 못하는데 하물며 65년 전에 일어난 제주 4·3이야 말해 무엇 하겠습니까?

기억되지 않는 역사는 이미 역사가 아닙니다. 더 중요한 것은 기억되지 않은 역사는 언젠가는 다시 반복된다는 것입니다. 이 얼마나 끔찍한 일입니까? 저도 여러분들과 마찬가지로 제주 4·3을 직접 체험한 세대는 아닙니다만, 또 한 번의 광주 5·18, 또 한번의 제주 4·3. 생각만 해도 끔찍한 일이 아닐 수 없습니다.

지금 여러분을 제주 4·3으로 초대한 제주4·3평화재단에서는 해마다 4·3이 되면 전국 청소년을 대상으로 4·3 문예 공모를 하고 있습니다. 재단에서 4·3 문예 공모를 하는 중요한 이유 중의 하나가, 방금 이야기한, '4·3을 기억하자, 그래서 그러한 참담한 역사가 다시는 반복되게 하지 말자'라고 할 수 있겠지요. 그런 의미에서 해마다 4·3 문예 공모에 시를 보내고 산문을 보내고 만화를 보내는 학생들은, 물론 글을 잘 써서 혹은 만화를 잘 그려서 상을 받으면 금상첨화이겠지만, 그보다 더 중요한 것은 4·3을 기억하고 있다는 것입니다.

먼저 2011년 전국 청소년 4·3 문예 공모에서 최우수상을 수상한 작품을 보겠습니다.

간밤에 폭설이 내렸다
차창 밖으로 제주4·3공원의 풍경은 푹푹,
아무도 몰래 눈밭에 빠져 하얗게 질려갔다
비석은 밤의 그림자를 모서리 끝까지 뒤집어쓰고
음지를 벤 채 잠들어 있었다
밤새 탄피처럼 눈이 떨어졌고
바람의 울음소리가 웅웅 울리고 있었다
생각은 돌하르방처럼 구멍이 숭숭 난 채 굳었으므로
백골처럼 퇴색되어 있었다
녹나무엔 어둠이 엉겨 붙어 있었고
거리를 총알같이 뚫고 지나가는 찬 공기는
이곳저곳을 들쑤시고 다녔다
이미 저물어 있는 사람들의 울음이
구석구석 번져 있었고
시간에 뒤덮여버린 평화공원

위령 제단의 윤곽만 툭 튀어나와 있다
켜켜이 눌어붙은 눈 속에는
읽히지 못한 비석들의 이름이 있다
어느 사이에 도시는 공백으로 뒤덮였고
아직도 알아채지 못한 사람들이
묘비 안에 잠들어 있었다
1948년 4월 3일, 흉 진 모습이
기록되지 못한 이름들의 슬픔이 쌓여 있었다
역사는 눈발 안에 파묻혀 있었고
새로 쓰는 이 묘비명은
가려져 있던 사연으로 다시 새겨지는 것
눈 덮인 땅 아래서 긴긴 옛날이
조금씩 밝혀지고 있었다

—「눈 덮인 묘비명」(이현구/경신고 3년) 전문

4·3평화공원의 묘비명에서 착상을 한 작품으로 보입니다. 4·3평화공원 구역 안에는 몇 군데 묘비 혹은 묘역이 있지요. 우선 전시관에 누워 있는, 그러면서 아무것도 쓰여 있지 않은 백비(白碑)가 있습니다. 왜 누워 있을까요? 왜 백비에는 아무런 묘비명이 없는 걸까요?

위령 제단 안으로 들어가면 거기에는 지금까지 신고된 희생자의 위패가 모셔져 있습니다. 이것도 일종의 묘비이지요. 그리고 그 위령 제단 뒤쪽으로는 행불인 묘역이 있습니다. 시신으로조차 돌아오지 못한 원혼들을 위한 묘비이지요. 이 시를 쓴 학생은 이 가운데 어느 묘비를 주목했는지 모르지만 그건 그리 중요한 게 아닙니다. 어느 하나일 수도 있고 위에서 언급한 세 가지를 함축시켜 표현하고 있을 수도 있습니다. 위령 제단의 희생자 위패와 행불인 묘역의 묘비는 구체성을 띱니다. 그러나 전시관의 백비는 상징적이고 함축적이지요. 누워 있다는 점, 아무것도 쓰여 있지 않다는 점에서 그렇습니다.

만약 4 · 3의 역사가 여기에서 그친다면 그 백비는 지금의 모습으로 아무런 표정도 없이 가만히 누워 있을 겁니다. 저 백비를 만들어 전시관에 들여놓은 것이 지금 세대의 몫이었다면 거기에 역사적 진실을 새기고 누워 있는 비석을 일으켜 세우는 일은 바로 이 땅의 미래를 짊어지고 나갈 여러분의 몫입니다. 아마도 이 학생은 "새로 쓰는 이 묘비명은/ 가려져 있던 사연으로 다시 새겨지는 것/ 눈 덮인 땅 아래서 긴긴 옛날이/ 조금씩 밝혀지고 있었다"라고 마무리하면서 눈 덮여 묻힌 4 · 3의 역사가 조금씩 밝혀질 것임을 암시하고 있는 것 같습니다.

다음으로 2012년 최우수상을 받은 작품을 만나보겠습니다. 이 시는 당시 미군정이 만든 영상 자료를 보고 그 감회를 시로 표현한 듯합니다.

울음이 지층으로 쌓인 땅 위

수풀을 흔들며 달려오는 바람에게서

뜨거운 불길을 본다

타오르는 노을은 그림자 진 발끝까지 적셔오고

붉은 울음을 토해내고 있는 하늘 위로

그날의 스크린이 펼쳐진다

침묵을 지키던 바위와 나무들이

쪼개지고 갈라지며

시간 속에 묻어둔 울음을 꺼낸다

한 세기를 나이테에 담아놓은 떡갈나무

불길은 거친 나무껍질을 조각조각 뜯어 먹고

묵직한 신음 소리가 연기로 피어오른다

바위의 깊은 뼈가 조각조각 쪼개지면

온 땅이 흔들린다

갓난이를 업고 입가를 주먹으로 막은 여인의

무릎이 뚝 꺾인다

헐거운 포대기 틈새로 흘러내리는 아이

무너지는 것들은 모두 서러운 걸까

아이의 찢어지는 울음에도 불이 붙어 잿더미 흩날린다

팔십 년 살아온 집의 기둥이 무너지는 것을

바라보는 노인의 눈동자에서는
흐리게 비친 모든 세상이 붉게 울고 있다
하늘과 땅으로 걷잡을 수 없이 불이 옮겨붙는다
흙과 자갈과 풀이 유언 한 줄 남기지 못하고
사라져간다

살아남은 한 줄기 바람이 비틀어진 필름을
온몸으로 돌아 나온 지금
나는 다시 한번 처절한 메이데이*를 듣는다
음모가 놓은 불씨와 한 편의 거짓을 위해
스러진 연미마을
살육의 변명으로 더럽혀진 울음이 실은
그토록 서러웠다는 걸
바람은 아는 것일까

구천을 떠돌던 바람이
땅 위에 발끝을 내린다
내 곁에 선 바람의 목소리
내 몸속을 지나가며 붉게 외친다

* 〈제주도의 메이데이〉라는 제주 4·3항쟁 관련 무성영화 제목 인용. 이 영화에서 미군은 연미마을 방화의 책임을 유격대에게 덮어씌움으로써 자신들의 강경 토벌 작전을 정당화함.

다시 한번,

메이데이

—「다시 한번, 메이데이」(고은별/안양예고 3년) 전문

이 자리에 참석하신 여러분들도 〈제주도의 메이데이〉라는 영상물을 보셨는지 모르겠는데 꼭 한번 보시기 바랍니다. 시를 쓴 학생의 주석에도 나와 있듯이 이 영상물을 제작한 의도는 강경 진압의 구실을 마련하기 위해 미군정이 의도적으로 제작한 영상입니다. 다시 말해 화면에 등장하는 유격대는 실제 유격대가 아니고 미군정에 의해 만들어진 유격대라는 이야기지요.

이 시는 영상물의 내용을 문학적 상상력으로 가다듬은 작품이지요. 전체가 3연으로 구성되어 있는데 1연은〈제주도의 메이데이〉 영상물을 글로 옮겨놓고 있습니다. 객관적인 거리를 유지하려 애쓰고 있음이 보입니다. 2연에서는 영상물을 보고 느낀 소감을 시적으로 형상화하면서 공간적 배경인 연미마을에 대해 "음모가 놓은 불씨와 한 편의 거짓을 위해/ 스러진 연미마을"로 표현하고 있음이 참으로 놀랍습니다. 그러나 이 시의 압권은 마무리되는 3연에 있습니다. "구천을 떠돌던 바람이/ 땅 위에 발끝을 내린다/ 내 곁에 선 바람의 목소리/ 내 몸속을 지나가며 붉게 외친다/ 다시 한번,/ 메이데이".

그때 그 바람이 땅 위에 내려와 내 곁에 있다가 내 몸속으로 지나가면서 '메이데이'를 다시 한번 하자, 합니다. 이 얼마나 끔찍한 고발입니까? 이 얼마나 놀라운 발상입니까? 바로 여기에 우리가 4·3을 또는 우리의 역사를 올바르게 기억해야 하는 이유가 있습니다. 우리가 올바르게 기억하지 않는 한, 언제든지 '다시 한번' 일어날 수 있다는 것입니다.

참고로 저는 여기 소개하는 학생들을 전혀 모릅니다. 심사를 하지도 않았고, 다만 여러분들에게 무슨 이야기를 할까 하다가 재단으로부터 자료를 협조받아 읽어보았을 뿐입니다.

4·3 관련 영상 얘기가 나왔으니 한마디 덧붙이고 가겠습니다. 얼마 전에 제주 4·3을 다룬 독립영화 〈지슬〉이 전국 관객 15만여 명이 관람할 정도로 큰 반향을 일으켰습니다. 4·3이 일어난 지 30년 만에 소설 「순이 삼촌」이 있었다면 60여 년 만에 영화 〈지슬〉이 우리 앞에 그 모습을 나타낸 겁니다. 이 영화를 보지 못한 학생들에게 꼭 한번 보기를 권합니다. 영화의 시작부터 끝까지 흑백으로 처리된 이 영화 속에는 제주의 아름다움과 그 아름다움 속에 가려진 슬픈 역사가 고스란히 녹아 있습니다.

마지막으로 바로 올해 2013년 대상을 수상한 작품을 같이 읽어보겠습니다.

우리 할머니 나이 열아홉에

꽃다운 홍조 띠고 결혼을 했단다

우리 할머니 나이 쉰다섯에

손주인 나를 처음 보셨단다

우리 할머니 나이 예순셋에

오갈 길 없는 나를 거둬 보살피기 시작했단다.

우리 할머니 나이 예순여덟에

처음으로 당신의 과거를 읊조려주시기 시작하셨고,

그리고 우리 할머니 나이 일흔셋에

당신의 모든 슬픔을 내게 전해주셨다.

우리 할머니 나이 일곱에

봉앳불, 방앳불 휘날리며 산사람들이

아무 연유 없이 들이닥치더란다

우리 할머니 나이 여덟에

보지도 못한 경찰을 도왔다는 이유로

양부모를 잃었더란다

우리 할머니 나이 열둘에
모진 목숨 연명하고자 육지로 넘어가
모진 고난 겪으며 살았더란다

우리 할머니 나이 열넷에
그리운 고향에 돌아와보니
토벌대들 휩쓸고 지나가며 당신 집을
살라먹었더란다.

그리고 지금 내 나이는 열여덟
꽃다운 당신의 나이와 같건만,
나는 아직도 당신의 깊은 슬픔을 헤아리지 못한다.

하지만 매일 밤 나는
일곱 살의 할머니를 만나러 간다.

—「우리 할머니 이야기」(김민수/제주외고 3년) 전문

이 시에는 두 사람이 등장합니다. 시적 화자인 '나'와 이야기의 중심인 '나의 할머니'입니다. '나'는 '할머니'의 이야기를 소개하고 전달하는 역할을 하는 일종의 관찰자입니다. 또 이 시 속에는 제주 4·3을 중심으로 하는 제주 여인의 삶이 고스란히 들어 있습니다. 전쟁이 일어나면 누가 가장 많이 희생될까요? 언뜻 생각하면 전쟁에 뛰어든 무장 군인이 서로 총을 겨누다 보니 가장 많이 희생될 것 같지만 세계 여러 나라의 전쟁 기록을 보면 전쟁 중 희생자는 비무장 양민들입니다. 비무장 양민들 중에서도 가장 많은 희생자는 바로 여성들입니다. 힘이 약하기 때문에 총에 맞아 희생되기도 하지만 말로 다 할 수 없는 희생을 여성들은 감내해야 합니다. 4·3도 마찬가지였습니다.

이 시에는 할머니의 나이가 연마다 배치되어 마치 할머니의 연보를 보는 듯합니다. 나이를 중심으로 할머니의 역사를 재구성하면, 일곱 살에 4·3이 일어나고 여덟 살에 보지도 못한 경찰을 도왔다는 이유로 부모를 잃습니다. 할머니는 열둘에 육지에 돈 벌러 가 모진 고난을 겪고 열넷에 돌아와보니 고향집은 이미 토벌대들이 살라먹고 없습니다. 그러다가 열아홉에 결혼을 합니다. 할머니 나이 쉰다섯에 시적 화자인 '나'가 태어났고, 무슨 이유에서인지 예순셋에 할머니는 '나'를 거두어 돌봅니다. 할머니 나이 예순여덟, 그러니까 '내' 나이 열세 살에 처음으로 할머니는 '나'에게 할머니의 지나온 역사를 말하기 시작합니다. 그리고 그 이야기는 일흔셋에서 끝이 납니다. 아마도 할머니는 일흔셋에 돌아가신 것 같습니다. "그리고 지금 내 나이 열여덟"인 것으로 보아 할머니가 돌아가신 때가 바로 지금이라는 얘기겠지요.

'내'가 들은 할머니의 사연은 그야말로 4·3을 겪은 제주도 여인들의 삶 그 자체입니다. 경찰을 도왔다는 이유로 부모를 잃고, 살기 위해 육지로 가서 모진 고생을 하고 돌아와보니 고향 집은 이미 토벌대에 넘어가버리고 맙니다. 한마디로 죽지 못해 살아온 세월입니다. 그런 할머니의 생애를 손주인 '내'가 어찌 이해할 수 있을까요? 그 깊은 슬픔을 어찌 알 수 있을까요?

이 시를 읽으면서 아직도 가슴에 남아 있는 부분이 있는데 다름 아닌 맨 마지막 연입니다. "하지만 매일 밤 나는/ 일곱 살의 할머니를 만나러 간다"로 마무리되는데 "매일 밤"은 꿈속에서 할머니를 만나러 간다는 이야기일 것이고, 문제는 "일곱 살의 할머니"를 만나러 간다는 것입니다. 왜 '일곱 살'의 할머니를 만나러 가려는 것일까요? 다시 할머니의 연보를 봅니다. 일곱 살에는 "봉앳불, 방앳불 휘날리며 산사람들이/ 아무 연유 없이 들이닥치"던 때인데 왜 하필 그 일곱 살의 할머니를 만나러 가는 것일까요? 그것이 알고 싶습니다. 왜 일곱 살일까요? 여러분들도 한번 상상해보기 바랍니다.

문학을 통해 역사는 기억된다

사람은 태어난 날에 생일잔치를 하고, 죽으면 그날에 제사를 지냅니다. 왜 그럴까요? 그건 바로 '기억' 때문입니다. 기억하지 않은 역사는 이미 사라진 역사입니다. 생일은 태어났음을 기억하면서 자신의 삶을 되돌아보는 것이고, 집안에서 어른이 돌아가시면 제사를 지내면서 돌아가신 분과 그분이 살아온 세월을 기억하는 것입니다. 그 기억들을 날줄과 씨줄로 엮으면 하나의 역사가 되는 것입니다. 가해자들은 언제나 망각을 강요합니다. 일본이 자신들의 지나간 역사를 숨기기 위해 일제 36년을 왜곡하고 기억에서 지우려 하듯이 가해자들은 늘 그래왔습니다. 만약 일본의 의도에 휘둘려 우리가 일제 36년을 잊는다면 틀림없이 그와 같거나 유사한 역사가 반복될 것입니다.

이제 마무리를 해야 할 것 같습니다.

물론 이 자리에 참석한 모든 학생이 문학에 뜻을 둔 학생은 아닙니다. 그렇다고 문학에 뜻을 두자는 것도 결코 아닙니다. 다만 지나간 우리의 역사를 잊지 말자는 것입니다. 자기 나라의 역사를 정규과목에 넣지 않고 선택과목에 포함시켜서 하고 싶으면 하고, 말고 싶으면 말라는 나라가 지구상에 얼마나 될까요? 자랑스러운 역사는 자랑스럽게 기억해야겠지만 부끄럽고 가슴 아픈 역사는 부끄러운 대로 가슴 아픈 대로 기억해야 합니다. 반복되지 않기 위해서 말입니다.

이 자리에는 육지에서 내려온 학생들도 많이 있는 것으로 알고 있습니다. 참으로 고마운 일입니다. 여러분들이 커서 다시 제주를 찾게 된다면 이 점을 기억해주기 바랍니다. 제주는 참 아름다운 섬이지만 그 아름다움 뒤에는 엄청난 상처가 지금도 치유되지 않은 채 계속되고 있다고 말입니다. 여러분들이 자주 찾거나 신혼여행객들이 자주 찾는 아름다운 관광지, 이를테면 성산 일출봉, 표선 백사장, 정방폭포 등이 4·3 당시에는 무고한 양민들이 이유도 모른 채 죽어간 학살터였다고 말입니다. 이처럼 제주의 아름다움 이면에는 수십 년 전 수만의 양민을 죽음으로 몰아간 아픈 역사도 함께하고 있음을 기억해주기 바라면서 오늘의 강연을 마치겠습니다. 고맙습니다.

●

4·3이 평화라면 강정은 희망입니다

○

『눈물 속에서 자라난 평화』(단비/2012)

"이 세상에 진실이 존재하지 않는다면
어떻게 희망을 가질 수 있겠는가?"
— 미셸 캥, 『처절한 정원』(문학세계사) 중

1.

덩두렷한 달이 솔숲 위로 떠오릅니다. 그 사이로 바람이 불어옵니다. 달의 숨소리 같습니다. 그 기운을 받아서인지 사위가 고요합니다. 헤아려보니 모레가 추석입니다. 더도 말고 덜도 말고 한가위만 같아라, 하는 그 한가위입니다. 민족의 대이동이라고도 하지요. 고향을 등지고 먹고살기 위해 생의 외줄을 타다가 잠시 내려놓고 어머니의 품을 찾는 발걸음이지요. 세 번의 태풍 영향 탓인지 아니면 살아가는 것 자체가 강팍해서인지 추석을 맞는 마음가짐이 그리 가볍지만은 않은 듯합니다.

윤모 형.

참 오랜만에 불러봅니다. 제가 소원했던 것이지요. 형에 대해서도 그렇고 강정에 대해서도 그렇습니다. 돌이켜보니 전국민예총 행사로 강정을 찾아 어울렸던 게 마지막 걸음이 아니었나 싶습니다. 굳이 핑계를 대자면 그 사이 집안에 우환이 있어서 두어 달 동안 경황이 없기도 했지만 마음만은 어디 가겠습니까.

강정 일이라면 발 벗고 나서는 김경훈 시인으로부터 강정 관련 책자를 기획하고 있다는 이야기를 듣고 너무 미안하고 반가웠습니다. 부담도 컸지만 나에게도 할 일이 있다는 게 고마웠습니다. 그런 논의가 시작된 것이 두어 달 전인데 어제 김경훈 시인으로부터 원고 묶음을 받았습니다.

원고를 펼칩니다. 지금 강정에 살고 계시는 열네 분을 직접 찾아가 인터뷰한 기록들입니다. 인터뷰에 익숙하지 않았을 텐데, 인터뷰 내용을 정리하고 글을 쓰는 일이 녹록지 않았을 텐데 한 사람도 빠짐없이 원고가 제 손에 넘어온 걸 보면 강정이 세기는 센 모양입니다. 글자 그대로 '일강정'입니다. 늘 주왁주왁하고 늘짝늘짝한, 이신 듯 어신 듯한 김경훈 시인도 강정 앞에서는 정신이 바짝 드나 봅니다.

이 책에는 4·3의 광풍이 휘몰아치던 시절의 강정과 해군기지 갈등이 첨예하게 드러나고 있는 지금의 강정이 날줄과 씨줄로 교차되고 있습니다. 아니 60여 년 전의 강정과 지금의 강정이 겹치면서 때로는 60여 년 전의 모습으로, 때로는 지금의 모습으로 되살아납니다. 그 중심에 사람이 있습니다. 오래전에 강정을 살았고 오늘의 강정을 살고 있는 강정 사람들이 있습니다. 그저 선하고 착하기만 한 강정 사람들에게 느닷없이 들이닥친 역사의 상흔을 고스란히 드러내는가 하면 지금의 광풍인 해군기지 건설과 관련하여 어떻게 생각하고 대응하고 있는지 꾸밈없이 드러내고 있습니다. 때로는 구럼비를 어루만지는 잔물결처럼, 때로는 범섬을 삼킬 듯한 분노로, 때로는 숨비소리로, 때로는 두려움과 공포, 한숨과 눈물로 그 모습을 드러내 보입니다. 5년여에 걸친 지난한 투쟁으로 삶은 이미 만신창이가 되었을망정 시쳇말로 그들은 쩨쩨하지 않습니다. 쪼잔하지 않습니다. 오히려 평화이고 그래서 희망입니다.

2.

윤모 형.

우선 강정마을의 큰 어른이신 윤경노 할아버지께서 직접 작성하신 글 속에 어르신의 진심 어린 마음이 그대로 녹아 있는 듯합니다.

> 나, 윤경노는 일제 치하의 고난도, 4·3의 아픔도, 6·25동란도 다 겪으며 살았습니다. 이제 우리 제일강정이 해군기지 찬반으로 마을 주민 모두가 천신만고를 겪고 있습니다. 해답은 토론에 있습니다. 어렵더라도 찬반 주민이 머리를 맞대고 몇 번이고 토론하면서 얽히고설킨 실타래를 풀어 우리의 제일강정으로 되돌아오기를 기원합니다.

절절함이 짙게 묻어나는 간절한 소망이자 준엄한 꾸지람입니다. 4·3의 광풍을 견디면서, 수많은 주검을 목도하면서 일궈낸 '제일강정'이 해군기지라는 천신만고 앞에서 마을의 큰 어른께서는 토론을 제안합니다. 진정 강정을 사랑하는 마음으로 원점에서 다시 머리를 맞대자고 합니다. 강정 마을 주민뿐만 아니라 제주도와 정부에 대해서도 국책사업이라는 미명으로 무조건 밀어붙이는 것이 능사가 아니라 강정 주민의 진심을 귀담아듣고 서로 머리를 맞대자 합니다.

"노인 한 사람이 죽는 것은 박물관 한 채가 사라지는 것과 같다"는 아프리카 출신 작가 함파테 바(Amadou Hampâté Bâ)의 충고를 명심해야 합니다. 살아 있는 박물관이 가슴으로 들려주는 절절함을 더 이상 외면해서는 안 되지 않겠습니까?

이어서 강동균 마을회장의 어머님이신 고병현 할머니를 만나봅니다. 6년 동안 한결같이 선봉에서 지치는 기색 없이 싸우는 아들에 대해 어떻게 생각하느냐 물었더니,

아이고, 지치지 않어, 지치지 않어. 멍청허니까 그래요. 멍청허지 않으면 그렇게 하겠습니까. 처음엔 내게 와서 어머니, 마을회장을 하래는데 어쩔까요, 묻는데 내가 심하게 말렸어요. 절대 그건 안 된다. 회장 하려면 니 아들 둘허고 마누래허고 나허고 묶어 바당에 던지고 하라고 했주.

제주 할머니들의 투박한 말투 속에 아들에 대한 믿음이 짙게 배어 있습니다. 구럼비 같은 너그러운 사랑입니다. 그러나 한편으론 얼마나 마음고생이 많으시겠습니까. 4·3을 몸소 체험한 어머니는 나랏일에 맞서 아들이 이른바 장두(狀頭)로 나선다는 것이 어떤 결과를 초래할지 너무나 잘 알고 계실 터, 하루에도 수십 번씩 마른 가슴을 쓸어내리고 계시겠지요. 아마 가슴 깊은 곳에 불도장처럼 새겨져 있겠지요.

하우스에서 귤꽃을 따다가도
모처럼 벗들과 어울려
막걸리 한잔하다가도
미장원에서 파마를 하다가도
삼거리식당에서 동태찌개를 끓이다가도
좌판 벌여 고등어를 팔다가도
몸져누운 시아버지 저녁상을 차리다가도
사이렌이 울리면
살려달라 살려달라 사이렌이 울면
모여라 모여라 사이렌이 울면
달포 지나도록 떨어지지 않는 감기 몸살 데리고
생선 비린내 나는 손으로
길을 나선다

요자기는 수녀님이 잡혀갔덴 허고
언치냑은 대책위원장을 잡아가불고
목사님 박사님은 아직도 감옥에 있덴 허는디
오늘은 또시 누게가 잡혀갈 건고
우리 아덜 풀려난 지 얼마 되지 않허여신디
또시 가면 그냥은 못 나온덴 허는디

차라리 내가 가사 헐건디

펜스로 가는 길

사이렌이 운다

살려달라 살려달라 사이렌이 운다

모여라 모여라 사이렌이 운다

뽀글뽀글 머리카락이 쭈뼛쭈뼛 일어선다

허청허청 걸음이 바쁘다

소름이 돋는다

치가 떨린다

— 졸시, 「사이렌」 전문

여기서 잠시 60여 년 전, 강정마을에서 발생했던 4 · 3의 주요 사건을 정리해보지요.

■ 강정1리

1948년 11월 16일 : 토벌대가 마을을 기습해 마을에 있던 주민 15명가량을 속칭 당동산으로 끌고 가 총살함. 이날 주민들은 중문 지서 축성 작업에 동원돼 부역하고 있었음.

1948년 11월 21일 : 당동산 학살에 놀라 마을 인근에 숨었던 주민들이 토벌대가 "모두 모여라. 흑백을 가리겠다"는 말에 향사로 집결함. 토벌대는 명단을 대조하며 32명을 향사 동남쪽 속칭 서울밧으로 끌고 가 학살함.
1950년 8월 6일 : 일주도로 변의 전신주를 순찰하던 주민 양종국(46), 윤시찬(40), 강정생(32)이 무장대에 잡혀가 학살됨.

■ 강정2리

1948년 11월 23일 : 토벌대가 밭일을 하던 주민 강창호(26), 강창근(23), 윤갑천(17) 등을 중문으로 끌고 가 면사무소 앞에서 학살함.
1948년 12월 1일 : 무장대가 식량 확보를 위해 야간에 염돈마을을 습격해 노인과 부녀자, 어린이를 학살함. 문재두(73), 임무생(여, 69), 강태호(50), 고일평(50), 이숙정(여, 48), 양중옥(47), 공일옥(45), 문복수(여, 31) 공도형(12) 등이 희생됨. 주민들은 냇팟이나 1리로 소개됨.
1948년 12월 5일 : 무장대가 월산 마을을 기습해 이인복을 학살하고 김봉옥을 납치함.
1948년 12월 11일 : 무장대가 냇팟을 기습해 속칭 먹쿠슬낭동산 인근 밭에서 야영 생활을 하던 이종성(65), 강태호(50), 이군화(49), 박화양(45), 조정길(45), 김기돌(39), 오남춘(70) 등 15명을 학살함.

윤모 형.

왜 죽이는지도, 왜 죽어야 하는지도 모르는 억울한 주검들입니다. 죄가 있다면 오직 살아 있다는 것이 죄가 되던 시절이었습니다. 어떠한 사상이나 이념이 끼어들 여지가 없는 주검들입니다. 모이라 하니까 모였고, 모이니까 죽였습니다. 무서워서 집에도 못 들어가고 들에서 숨어 지내다가 숨었다는 이유로 죽임을 당했습니다.

12살 어린 나이에서 70세 노인을 비롯한 수많은 주검을 딛고 강정 사람들은 자신들을 낳고 길러준 마을을 제주의 으뜸 마을로 일궈냅니다. '제일강정, 제이번내, 제삼도원'이라는 말에서도 알 수 있듯이 강정은 물이 좋아 벼농사가 잘 되고 인심이 넘쳐나는 마을이 됩니다. 오죽했으면 '강정 아긴 곤밥 주면 울어도 조팝 주면 아니 운다'는 말이 있었을까요. 이 아름다운 마을에 난데없이 해군기지가 들어오게 됩니다. 4·3을 살았던 어른들은 자연스럽게 그날의 공포가 되살아났겠지요.

14살의 어린 나이로 고향 강정마을에서 4·3을 몸소 겪으신 강성원 어르신은 해군기지 반대투쟁 이후에 가족끼리 모여 밥다운 밥을 먹어본 지가 언제인지 기억조차 나지 않는다며 펜스로 가려진 구럼비로 시선을 돌립니다.

지금 구럼비를 폭파시키는 발파음이 들릴 때마다 밤낮으로 바깥의 인기척에 숨소리를 죽이며 가슴을 졸이던 4·3 당시의 기억이 떠오릅니다. 매일같이 경찰과 몸싸움이 일어나고 욕설이 난무하고 이웃 간에 웃음이 사라져가는 모습을 보면서 그날의 어두웠던 아픔이 반복되는 것 같아 더 마음이 아픕니다.

강정마을 4·3 유족회장을 맡고 있는 조용훈 어르신의 마음도 별반 다르지 않습니다.

요즘 해군기지 반대 문제로 얘기하다 보면 옛날의 4·3이 생각난다. 4·3 때에는 경찰 병력이 이렇게 500명 1000명씩 오지 않고 몇 명만 와도 무기나 총을 들고 왔기 때문에 인명 피해가 많았던 것 같다. 요즘은 경찰이 500명 1000명씩 오면서 비록 무기는 들지 않았지만, 사실은 총만 안 들었지 공권을 앞세워 억압적으로 진압을 하니까 주민들이 상당한 고초를 겪고 있다. 사실 정신적 고통은 말로 다 하지 못하겠다. 만약 이 상황이 4·3 때라면 다 잡아다가 총살을 시키지 않았겠느냐. 여러 가지로 상황이 비슷하다 보니 그런 생각이 드는데 장기간 받고 있는 고통이 그때보다 못하다는 생각이 안 든다.

3.

해군기지의 내막에 대해서 깊이 알지는 못한다며 겸손해하시는 강부언 어르신께 유년 시절의 강정에 대해 물었지요. 눈을 지그시 감으시며 지나간 추억을 더듬으십니다. 어랭이, 코생이, 맥진다리, 우럭, 보들레기, 덤부지 등이 평화롭게 구럼비 바다를 유영합니다. 어릴 적 추억이 깃든 그 구럼비 바위가 딱딱한 콘크리트로 덮이는 것을 상상만 해도 가슴에 통증을 느낀다는 강부언 어르신이 조심스럽게 입을 엽니다.

저는 칠십 평생을 이 동네에 살면서 없는 듯이 살아왔습니다. 해군기지 건설로 갈등이 생기기 전까지 저는 그렇게 살아온 사람입니다. 마을 어느 사람에게 물어봐도 다 그렇게 얘기를 할 것입니다.

그런 저가 업무방해라는 이유로 네 번이나 재판을 받았습니다. 이제 다섯 번째 재판을 앞두고 있습니다. 이번의 죄과는 폭력이라고 합니다. 이제는 사이렌 소리만 들려도 가슴이 뛰고 불안합니다. 병원에서 우울증에 걸렸다는 진단을 내렸습니다. 그래서 지금 우울증약을 복용하고 있습니다.

어르신은 지금 다섯 번째 재판을 기다리고 있습니다. 앞으로 몇 사람이 더 끌려가야 하는 걸까요? 얼마나 많은 벌금을 더 내야 하는 걸까요? 작년까지 통계를 보니 강정 주민들이 해군기지 반대와 관련하여 낸 벌금만 5000만 원이 넘습니다. 어디 그뿐이겠습니까? 해군으로부터 공사를 수주한 삼성물산과 대림산업, 두산건설, 대우건설 등은 주민 14명을 상대로 2억8900만 원이라는 거액의 손해배상 청구를 했다지요. 또 대한민국 해군은 주민 77명을 대상으로 공사방해금지 가처분신청을 냈고 당시 업무방해 혐의로 주민 9명이 재판 중이고, 3명은 구속된 상태며 14명에 대해선 경찰이 출두를 요구하고 있다 합니다. 한마디로 '범죄 없는 마을'이 해군기지로 말미암아 '범죄만 있는 마을'로 탈바꿈되고 말았습니다. 지적장애가 있어 아무것도 모르는 청년을 연행하여 재판에 송치하는가 하면 바깥출입도 거의 하지 않는 92세 할머니까지 공사방해금지 가처분신청 대상에 올려놓았다니 그야말로 지나가던 소가 웃을 일이지요.

해군기지 건설 문제가 불거질 무렵 해군기지 건설 반대 대책위원장을 지낸 양홍찬 씨는, 제주가 국방이라는 단순 개념의 군사기지로 사용되기보다는 종합적인 안보 개념으로 접근해야 한다고 충고합니다. 안보라는 게 단순히 군사력으로 지켜지는 게 아니기 때문이지요. 주변국과의 외교, 경제, 문화 등 종합적인 생존 전략 차원에서 제주를 봐야 한다고 주장합니다. 그리고 입지적인 측면에서도 강정은 태풍의 진입로이기 때문에 기지로서 마땅한 조건이 결코 아니라는 논리를 폅니다.

이건 무리한 추진이고 무리한 공사입니다. 국민의 혈세는 낭

비되고 환경은 파괴되고 국방엔 도움이 안 되고. 해군도 속마음은 '이건 아니다' 하고 있을 겁니다. 단지 명령 체계에서 어쩔 수 없이 움직이는 것이지요. 아무리 사람의 기술이 좋다고 해서 자연의 힘을 무시하고 도전하는 것은 한계가 있습니다. 결과적으로 도지사가 말하는 윈, 윈, 윈이 아니라, 국가도 손해, 제주도 손해, 강정도 손해일 뿐입니다.

윤모 형.

강정에는 200개가 넘는 각종 친목 모임이 있었다지요. 초등학교, 중학교 동창회는 기본이고, 같은 나이끼리 갑장회, 같은 작목을 하는 사람끼리 작목반, 낚시를 좋아하면 낚시회 등등 서로 도움을 받고 도움을 주면서 오순도순 잘 살아왔지요. 해군기지가 들어서기 전까지는 말입니다. 그런데 지금은 남아 있는 친목 모임이 없다 합니다. 해군기지가 마을공동체를 여지없이 앗아간 게지요.

작년으로 기억하는데 구럼비 바닷가에서 「내 어미는 해녀였다」라는 자작시를 낭송해 그 자리에 참석한 기성 시인들을 한 방에 날려버린 고영진 씨가 떠오릅니다. 잠깐 그 시의 일부를 되새겨봅니다.

오늘도 중덕바위 틈새에 쪼그려 앉아

어미를 그리워하며 웁니다

내 어미 모진 손길 머무른 이곳을 이대로

내어줄 순 없지 않은가

내 기억의 몸부림으로 이곳을 지키고 싶다

살아 숨 쉬는 그날까지 내 기억 속에 남아 있기를

86세를 일기로 세상을 떠난 어머님께 바치는 사모곡이지요. 어머님의 체온이 그대로 아로새겨진 구럼비 바위가 무참하게 짓밟히는 걸 지켜보는 아들의 심사를 어찌 헤아릴 수 있을까요. 그는 구럼비만 잃은 게 아니라 사랑하는 벗들도 잃고 말았지요.

죽마고우 6명이 모여 만든 친목회가 있었어요. 20년 가까이 회비도 착실히 모았고…. 그런데 그 작은 모임 안에서도 찬반 양론으로 의견이 엇갈렸어요. 그래서 서로가 더 험한 꼴 보기 전에 부부 동반으로 마지막 여행을 다녀왔어요. 남은 돈은 골고루 나누고 친목회를 깨버렸지요.

4.

윤모 형.

강정에 가면 어렵지 않게 들을 수 있는 말이 있습니다. '질긴

놈이 이긴다'라는 말입니다.

원래부터 질긴 게 아니라 옳기 때문에 질긴 것이지요. 진실되기 때문에 버티고 있는 것이지요. 바로 여기에 희망이 있습니다. 강정이 희망입니다. 강정 마을이 옳다는 걸 세상이 알기 때문에 강정은 희망입니다. 많은 사람들이 강정을 찾았고 강정에 뿌리를 내렸습니다. 스님도 목사님도 신부님도 수녀님도 오로지 진실 하나로 강정과 함께하고 있습니다.

오늘도 해군기지 펜스 앞에 온몸에서 파스 냄새를 물씬 풍기며 "강정에 평화, 구럼비야 사랑해!"를 외치며 1인 시위를 하는 신부님이 계십니다. '레미콘 신부님'이십니다. '강정은 강도를 만난 마을'이라고 말하는 사람, 어느 날 국가로부터 자신들의 삶을 도둑질당한 마을이라고 말하는 사람, 강도를 만난 사람들에게 착한 사마리아인이 되고 싶다고 고백하는 사람, 이영찬 신부님입니다.

강정마을을 꼭 지켜내야 한다고 생각합니다. 생활에 다소 불편함은 있었지만 정부와 해군의 불법적인 탄압을 받아온 주민들의 고통에 비하면 나의 불편은 아무것도 아니죠. 내가 여기 와서 무엇을 할 것인지 생각해본 적은 없습니다. 외롭고 힘든 싸움을 하고 있는 이곳 강정 주민들과 함께하는 마음이 있을 뿐입니다.

강정과 함께하는 사람이 어디 신부님뿐이겠습니까? 지난 해 7월 강정으로 아예 주소를 옮기시고 강우일 주교님이 선물한 스쿠터를 몰고 다니시는 문정현 신부님을 뵈러 인사차 강정을 찾았다가 1년이 넘도록 강정에 머무르면서 희망의 들꽃이 된 사람이 있습니다. 지금은 들어갈 수 없는, 구럼비가 품고 있던 꽃들을 생각하니 문득 꽃 이야기를 하고 싶어 꽃으로 평화와 희망을 그리는 '들꽃'이라는 분입니다. 그 들꽃이 공사장 진입을 막았다는 이유로 300만 원 벌금형을 받았다지요.

> 결국 우린 질질 끌어 내려져 연행되고 건설회사 측은 겨우 5분 정도 공사 진행에 방해받은 피해를 이렇게 되갚더라고요. 이거 말고도 몇 건 더 있는데 얼마나 많은 벌금형이 나올지 모르겠어요. 저만 이런 게 아니라 마을 분들과 활동가들 중에 많은 사람들에게 이런 벌금형이 부과되고 있어요. 그런다고 그게 무서워 우리가 그만두지는 않을 건데…. 세상에는 정의가 있고 누군가는 그 가치를 인정해줄 그런 날이 오지 않을까요?

윤모 형.

이제 강정은 제주의 강정이 아니라 세계 속의 강정입니다. 전 세계의 양심과 지성들이 강정의 일거수일투족을 예의 주시하고 있습니다. 그야말로 강정은 평화의 아이콘이고 희망의 메신저입니다. 정영희 할머니는 히로시마 국제평화대행진에 참석하고 돌아왔지요. 강정만 아픔이 있는 줄 알았는데 아니더라고, 87세 할머니가 캐나다에서 10시간 비행기 타고 오고, 91세 할머니도 오셨다지요. 당신의 나이가 많다고 생각했던 게 확 부끄러웠다고 말하는 정영희 할머니, 그날 행사에서 할머니는 세계를 향해 이렇게 외칩니다.

> 저는 대한민국 제주도 서귀포에 있는 조그만 마을 강정이라는 마을에서 왔습니다. 저의 이름은 정, 영, 희입니다. 저희 아름답고 작은 마을에 해군기지를 세우겠다고 합니다. 공청회 한 번 하지 않고 지금 공사를 진행하고 있습니다. 그래서 우리는 5년째 반대투쟁을 하는데 우리 말은 아무도 들어주질 않습니다. 저희는 힘이 없습니다. 농사밖에 모르는 저희들이 무얼 알겠습니까? 그러나 기지가 들어와서는 안 된다는 것은 알 것 같습니다. 후손들에게 기지를 물려주어서는 안 된다는 것을 알고 있습니다. 아름다운 구럼비 바위를 파괴하고 있습니다. 도와주십시오. 저희에게 힘을 주십시오.

평화를 이야기하는 자리에서 아직은 세계인의 마음이 따뜻하다는 걸 알았다는 사람, 아픔을 보면 울어줄 사람이 있다는 걸 알았다는 사람, 그래서 용기가 생겼다는 사람, 종이학의 유래도 알게 되었다는 사람, 정영희 할머니입니다.

5.

윤모 형.

지금의 강정은 오늘을 살고 있는 우리들만의 강정이 아니라 앞으로 강정을 살아갈 후손들의 땅이요 바다요 하늘입니다. 우리가 해야 할 일은 그런 강정을 후손들에게 있는 그대로 물려주는 일입니다. 강정을 지켜내면서 우리가 쟁취한 그 평화를, 그 희망을 물려주어야 합니다.

2009년 오랫동안 다니던 직장에서 명퇴하고 강정으로 귀향하여 농사꾼으로 살아가면서 '강정이야기'라는 제호의 소식지를 발간하고 있는 김봉규 씨의 이야기에서 우리는 이미 희망이 싹트고 있음을 봅니다.

이 싸움은 과거보다 미래를 위한 싸움입니다. 나보다 내 아들, 내 손자를 위한 겁니다. 그러므로 포기도 있을 수 없고 후회도 없습니다. 길게 갈 거라고 봅니다. 조급해하지 말고 계속 싸우다 보면 되지 않겠습니까? 그래서 초등학교 5학년 아들을 앉혀놓고 고향과 자연보전의 중요성을 이야기하면서 해군기지는 절대 안 된다고 설득하고 있습니다.

여기에 강정의 힘이 있습니다. 한 편의 노래이고 춤이고 축제인 강정이 왜 희망일 수밖에 없는지 강정에 오면 알게 됩니다. 그렇기 때문에 멧부리에 부딪치는 파도를 닮았고, 구럼비에 샘솟는 물줄기를 닮은 강정민속보존회 이영자 어머니가 다시 보존회를 일으켜 세워 상쇠를 잡고 40여 명의 풍물꾼을 거느리고 외자기는 소리가 들려옵니다.

이 바당 저 바당 구럼비도 우리 바당
이 바당 저 바당 새별코지도 우리 바당
아름다운 우리 바당 해군기지가 웬 말이냐
갠~지 개갠지 개갠지개갱~
개갠지 개갠지 개갠지개갱~

쇳소리 가죽 소리로 천지신명을 달굴 그날이 머지 않았다는 게지요. 그날이 오면 상처 입은 구럼비도 몸을 추스르고 더덩실 일어나 오방에서 기웃거리는 잡귀 잡신을 물리치는 한판 춤을 추겠지요.

어라, 저기 강정마을 사거리, 유명한 다라이 생선 좌판 김미량 씨가 '우리가 가는 길이 평화다'라는 구호가 새겨진 헐렁한 티셔츠를 걸치고 낭창낭창한 목소리로 멋들어지게 한 곡조 뽑

아대면서 오고 있습니다. 그래서 강정은 희망이 아닐 수 없습니다.

맑은 강정천이 흐르고
아끈천도 따라 흐르는
아름다운 이 강정으로
우리 손잡고 가요

범섬이 노래하고
썩은섬도 따라 부르는
파도가 춤추는 곳
강정마을로 가요

6.

윤모 형.

이제 마무리를 해야 할 것 같습니다. 커튼을 열고 창밖을 보니 그 사이 달이 한층 더 사람들이 살고 있는 낮은 지붕 위로 다가온 듯합니다. 불현듯 달을 실은 고깃배가 강정 바다 범섬을 지나는 한 폭의 그림이 떠오르는 밤입니다. 이 밤이 지나면 추석이고 그다음 날 강정으로 가렵니다. '화합의 한마당 한가위 강정마을 큰잔치'가 벌어지는데 제가 해야 할 조그마한 일이 있기도 하지만, 우선은 가서 형의 안부를 묻고 싶습니다. 중덕 삼거리 식당에 앉아 못다 한 이야기를 나누면서 달빛에 흠뻑 취해보고 싶습니다.

날씨가 쌀쌀합니다. 옷깃 잘 여미시길 바랍니다.

"또한 과거에 대한 기억을 잊어버린다면
어떻게 미래에 대한 희망을 가질 수 있겠는가?"
— 미셸 캥, 『처절한 정원』 중

●

시를 쓰지 않으면
죽을 것 같다는 어느 시인을
생각한다

1.

누이야, 원래 싸움터였다.

바다가 어둠을 여는 줄로 너는 알았지?

바다가 빛을 켜는 줄로 알고 있었지?

아니다, 처음 어둠이 바다를 열었다 빛이

바다를 열었지, 싸움이었다

어둠이 자그만 빛들을 몰아내면 저 하늘 끝에서 힘찬 빛들이
휘몰아와 어둠을 밀어내는

괴로워 울었다 바다는

괴로움을 삭이면서 끝남이 없는 싸움을 울부짖어 왔다.

—「제주바다 Ⅰ」 부분

변방의 섬 제주가 원래는 '싸움터'였다는, 울림이 큰 언어로 시의 첫 줄을 새긴 시인이 있다. 1977년, 계간 『문학과지성』에 「제주바다 Ⅰ」, 「고드름」, 「가을」 등을 발표하면서 비교적 늦은 나이에 등단한 문충성 시인이 바로 그다. 특히 위에 인용한 그의 등단작 「제주바다 Ⅰ」의 울림은 제주에서는 물론이거니와 당시 중앙 문단에서도 커다란 반향을 일으킨다. 신비의 섬, 천혜의 관광지로 발돋움하던 그 무렵, 제주의 한 시인은 제주가 원래 싸움터였음을 상기시키면서 제주가 변방의 언저리에 있는 버려진 섬이 아니라 탐라국 이후 제주는 지금도 그렇듯이 토착민과 외부 세력 간에 갈라치고 되받아치는 '끝남이 없는 싸움터'임을 시인은 제주의 누이들에게 낮은 목소리로 준엄하게, 때로는 비장하게, 때로는 조곤조곤 들려주고 있다. 지금 이 시간에도 여전히 싸움터이고, 싸움의 상처가 아물지 않은 채 "괴로움을 삭이면서" 해가 뜨고 해가 지는 곳이 바로 이곳 제주다.

2.

문충성 시인으로부터 시집 발문에 대한 부탁을 받았을 때, 필자는 어떤 막연한 부채 의식에서 얼떨결에 "알았수다. 한번 써보쿠다" 하고 대책 없는 대답을 하고 말았다. 대체 그 부채 의식이란 게 뭘까? 제주작가회의 창립 무렵으로 거슬러 올라간다. 필자의 기억에 의지하여 돌이켜보면, 김병택, 문무병, 나기철, 김광렬 등이 모여 제주작가회의 창립을 준비하던 무렵 초대 회장으로 누구를 추대할 것인가에 대한 논의가 있었고 별다른 이견 없이 문충성 시인이 거명되었고, 전화를 했고, 만났고, 뜻을 전달했고, 문충성 시인은 일주일 생각할 시간을 달라 했고, 시간이 지나 다시 만났다. 해장국집이었다고 기억한다. 문충성 시인이 입을 열기를 기다리는데, 마침내,

"알아서. 허주. 경헌디 사무국장은 회장이 지명허는 거 아니라? 저기, 김 시인이 사무국장 허여."

한쪽 구석에 앉아 있는 필자를 바라보면서 툭, 내던졌다.

주변을 보니 한쪽은 나 시인, 한쪽은 문 시인이라 김 시인은 필자밖에 없었다(다른 김 시인은 약간 떨어져 있었다).

"예, 하겠습니다."

고민할 여지도 없이 바로 대답했다. 좌중에 필자가 제일 막내였고, 애당초 우리끼리는 이미 합의가 되어 있던바, 누가 회장이 되든 사무국장은 이미 따 놓은 당상(?)이었다.

그런 사연으로 문충성 시인은 초대 회장으로, 필자는 초대 사무국장으로 2년 동안 제주작가회의 초창기를 함께하면서 보다 가까운 거리에서, 제주 바다가 원래 '싸움터'였음을 필자에

게 알려준 문충성 시인과 함께할 수 있었다.

그 후로 20년 가까운 세월이 흘렀다. 문충성 시인은 대학 강단에서 정년퇴직을 맞았고, 그럼에도 불구하고 그의 시밭 일구기는 쉼 없이 이어졌다. 세월은 거스를 수 없어 시간이 지남에 따라 몸도 조금씩 시간에 내줘야 했는지 예전 같지 않게 가끔씩 병원 신세를 지고 있다는 소식과 함께 제주를 떠나 아들딸네 집에서 사모님과 함께 몸을 추스르고 있다는 소식이 들려왔다.

그러던 차에 지난해 말 시집 발문 얘기를 꺼내신 것이다. 사무국장으로서 회장의 명(?)을 거스를 수 없듯이 선뜻 대답해 놓고, 후회가 밀려오기 시작했다. 정중하게 사양했어야 했다. 그리고 말씀을 드렸어야 했다. '선생님, 30권 넘게 시집을 상재하신 분이 발문은 받앙 뭐헙니까? 그냥 발문 없이 출판하는 게 좋을 것 같수다'라는 말을 필자는 왜 하지 못했을까? '영 보난 시력(詩歷)이 꽤 되시는 시인들은 발문이고 해설이고 없이 오로지 시만으로 시집을 냅디다'라는 말을 왜 하지 못하고 엉거주춤 "알았수다, 한번 써 보쿠다" 하고, 촌닭이 달밤에 혼자 구구구구 하는 소리를 내고 말았는가? 시집 원고를 받고 두 달이 지났는데 이제 와서 그런 소릴 한다는 게, 아무리 속에 든 얘기라도 이건 도리가 아니다 싶었다. 이미 엎질러진 물이고 더군다나 주워 담자니 다 말라버린 물이다. 주제넘지만 쓸 수밖에 없다. 운명이다.

3.

이 글은 발문도 해설도 아니다. 해설을 쓸 만큼의 비평가적 소양이 필자에겐 없거니와 문충성 시인의 시에 대해 이러쿵저러쿵 토를 달 위치에 있지도 않다. 발문은 더군다나 아니다. 명색이 발문이라면 시인과의 내적 소통이 어느 정도 가능할 만큼의 시간과 공간을 함께 누렸어야 하는데 필자는 전혀 그렇지 못하다. 시인이 강의하는 프랑스문학을 들은 제자도 아니고, 동종 업종에 종사하는 말단 시인으로서, 어울려 코가 비틀어지게 대취한 적도 없다(필자가 시인을 만나기 시작했을 때, 시인은 벌써 주당의 반열에서 이름을 지운 이후였고, 필자는 시인의 술에 얽힌 이야기를 오래된 전설처럼 바람결에 들었을 뿐이다).

하여 이 글은 필자 나름의 문충성 시인의 시집 『왕벚꽃 줍다』에 대한 소소한 감상에 지나지 않는다. 다시 말해 문자로 옮겨 시집 뒤에 자리 잡고 앉을 만큼 격이 있는 글이 아니라는 점을 밝힘으로써 변명 같지 않은 변명을 해보는데, 참 어설프다.

시집 『왕벚꽃 줍다』를 내용에 따라 나름대로 나누어보면, 제주의 아픔을 다룬 시편들, 시인의 아픔을 다독이는 시편들, 세상살이를 비틀어 풍자하고 조롱하는 시편들, 그리고 일상의 소소함을 어루만지는 시편들로 이루어진다. 섬의 아픔을 다룬 시편들은 주로 제주 4·3과 강정마을이 주류를 이룬다. 제주의 김경훈 시인은 어느 자리에선가 아주 명징하게 "4·3이 곧 강정이고, 강정이 곧 4·3이다"라고 잘라 말한 적이 있다. 옳은 말이다. 문충성 시인도 아마 유년 시절 어린아이의 눈으로 목도한 4·3에서 오늘의 강정을 보았고, 오늘날의 강정에서 유년의 4·3을 떠올렸던 것은 아닐까?

대학병원 5층 입원실 북쪽 창문으로 바라보면 수평선 위로
추자도가 아슬히 떠오른다 최영 장군이
목호들 토벌하러 제주 바다 건너올 때 몽고는
탐라를 백 년 통치했다 그 통치의 한을 풀려고
고려 수군들 용감히 싸웠다
백 년 통치 청산했다 어째서
김통정 장군 항몽할 때거나
이재수 난 때 불란서 함대 제주 앞바다에서 까불거나 그래서
섬사람에게 전쟁 비용 청구해 섬사람 등살 휘어질 때거나
일본 게다짝들 36년 동안 조센징
못살게 굴 때거나
4·3 때 미군정 엉터리 민주주의
그보다
최영 장군이
수평선 너머 고려 함선들 휘몰아오는 그 환영이 어째서

아픈 나를 슬프게 하는가 제주섬은

강정마을에 해군기지가 건설되는 평화의 섬, 자유의 섬

세계 7대 경관의 하나가 된 섬

아름답다

세계화 시대

세계인들 관광하러 돈 벌러 몰려온다

영어마을 영어학교가 생겨난다 그런데

어째서 나는 슬프기만 한가

—「내 병실에서 바라보는 제주 앞바다 수평선」 전문

시인은 지금 병실에 있다. 몸이 아픈 것이다. 그는 병실에서 제주 앞바다의 수평선을 바라보고 있다. 40년 전 제주의 누이들에게 싸움터였다고 낮은 목소리로 울림 있게 이야기하던 그 바다를 40년이 지난 지금 시인은 병실에서 환자복을 입고 바라보고 있다. 세월만 흐르는 게 아니라 그때는 파도 휘몰아치는 바닷가에서 바라보았을 터지만 지금은 아득한 거리의 병실에서 손금처럼 새겨진 수평선을 흐린 눈으로 내려다보고 있다. 시인에게 병실은 어떤 공간인가. "하얀 색이 하얀 방"이고 "누가 말하면 그 말도 하얀"(「시간이 사라져버린 방」) 방이다. 그리고 "커튼을 올려도 전망이 하얀", "하얀 감옥"(「5인실 창가로 병실을 옮기다」) 같은 방이다.

그런 방에서 바라본 수평선 위로 어렴풋이 탐라국 시절이 떠오른다. 몽고 100년 지배의 섬, 탐라가 지나가고 최영이 지나간다. 삼별초 항쟁의 김통정이 지나간다. 반외세, 반봉건 싸움의 이재수가 스쳐 지나간다. 일제 36년의 세월이 주마등처럼 지나고 미군정에 의한 제주 4·3의 쓰라린 역사가 아련히 떠오른다. 그때가 초등학교 몇 학년이었나. 그 아픔 위에 강정 해군기지가 겹친다. 평화의 섬에 해군기지라니. 해군기지의 섬이 세계 7대 자연경관인가? 차이나 머니가 쓰나미처럼 섬을 덮친다. 어디를 가도 중국인 천지가 되어버린 섬. 어디 그뿐인가. 국제자유도시에 짜 맞추기라도 하려는 듯 영어마을 영어학교가 가슴 한복판을 헤집고 지나간다. "어째서 아픈 나를 슬프게 하는가. 슬픈 나를 아프게 하는가?" 그래서인지 『왕벚꽃 줍다』는 문충성 시인의 아픔에 대한 기록이자 슬픔에 대한 흔적들이다.

언제부턴가 4월이 오는 길목에서 시인은 언제나 아프다. 해마다 아픈데 의사는 아픈 데를 찾지 못한다. 아픈 데가 없는데 항상 아프다. "어린 날의 나의 하늘 하얗게/ 비행기들 날아다니고 4·3 때// "항복하고 귀순하라!" 삐라도 눈 오듯/ 하늘하늘 날아다니고 아랑곳없이/ 우리는 개골레비연 눈 오는/ 하늘로 날린다 연은/ 날아간다 꼬리 흔들며/ 날아간다"(「어린 날 나의 하늘」). 시인은 유년 시절 제주시 성안에서 4·3을 보았고, 4·3은 호랑이보다 두려웠고 귀신보다 무서웠다. 4·3을 입에 담아서는 안 된다는, 섬을 억누르는 침묵의 강요가 시인을 비켜 갈 리 없었다. 강요된 침묵은 지속되었고 시인의 가슴은 썩어갔다. 4·3 특별법이 통과되고 해마다 열리는 진혼제, 시인은 저만치 거리를 두고 진혼제를 바라보면서 속으로 울부짖고 있다.

어릴 적부터 죽을 뻔한 일들
죽지 않고 살아남아서
지금도 나를 앓게 하고
그 꽃다운 상처 치유하려다
허망함에 벼락 맞아
4월이여, 눈먼 4월이여!

이제랑
주검들 저만치
역사 속에 부려놓고 다시
돌아오지 말라
삶은 돼지머리
눈 감아도
웃는 얼굴
쐐주
한 잔에 제발

썩어가는 가슴에 불 지르지 말라!

—「4월 진혼제」 부분

썩어가는 가슴에 제발 불 지르지 말라고 하소연하지만 결국 시인은 바다의 환해장성, 제주의 수평선을 벗어나지 못한다. 돌아보면 아픔이고 다시 돌아보면 슬픔이다. 수만의 목숨이 왜 죽어야 하는지도 모른 채 죽어가야 했고, 없는 것들끼리 모여 서로 나누고 베풀면서 오순도순 살아오던 마을은 잿더미가 되고 말았다. 일부는 마을을 재건하여 사람이 사는 마을이 되었지만 60년을 훌쩍 넘긴 지금까지도 이름만 남아 있고 마을은 없어져버린 곳이 한둘이 아니다. 와들와들 떨면서 어린 눈으로 목도한 4·3, 강요당한 침묵에 가슴이 썩어 들어가야 했던 4·3. 그런 4·3으로부터 시인은 벗어나고 싶었고, 그래서 거리를 두었고, 벗어난 줄 알았다. 그러나 아니었다. 벗어난 줄 알았던 그 자리 또한 4·3의 상흔이 고스란히 배어 있는 대숲 자리였다.

제주 오등리 죽성 1948년
4·3 때 사라졌다 고다시는
복구되었지만 죽성은
인적조차 끊긴

잃어버린 마을이 되었다 밤마다 별빛

달빛 푸르르르

대나무 숲으로 둘러 싸여 온갖 바람들 살고

큰동네, 새가람, 새장밧, 큰담밧, 민밧, 선들목이 모여 와자자

아이들 웃음소리 넘쳐나는

한동네 이뤘던 자연 마을

마을 사람들 마시던 빈 우물터 가득

빈 달빛만 파랗게 넘쳐난다 착한 검둥개 멍멍

뿔 오그라진 누렁쇠 타박타박 조랑말

착한 마을 사람들

모두

어딜 갔지

아무도

꼴도 없다

—「잃어버린 마을 죽성(竹城)」 전문

그래서일까. 시인은 「왕벚꽃 줍다」에서 4·3에 대한, 제주 사람들에 대한 그의 생각을 압축적이고 함축적으로 독자들에게 표현하는데, 그 표현 방식이 왠지 낯설다. 다시 말해 문충성답지 않다는 것이다. 필자가 읽은 시인의 시는 한마디로 '이야기'다. 일반적인 시에 드러나는 어떤 비유나 수사가 시인에게는

그리 중요하지 않다. 그저 옆 사람이 듣건 말건 두런두런 말하듯이, 이야기하듯이 시를 풀어나간다. 그래서 그의 시는 단형시가 별로 눈에 띄지 않는다. 그런데 시집의 명패이기도 한 「왕벚꽃 줍다」는 5행 31자의 단형이다. 그러나 그 울림은 결코 만만치가 않다.

저기 왕벚꽃이 지고 있다. 그냥 지는 게 아니라 "햇살 움켜쥐고" 지고 있다. 꽃잎들을 주워 가만히 들여다본다. 아, 손아귀 가득 제주 사람들이 보인다. 4월의 눈물들이 보인다. 꽃잎마다 햇살 가득 움켜쥔 채.

> 햇살 움켜쥐고 우수수 우수수
>
> 떨어지는 왕벚꽃들
>
> 줍다
>
> 제주 사람
>
> 4월 눈물들
>
> —「왕벚꽃 줍다」 전문

해군기지 건설을 둘러싸고 올해로 8년째 진통을 겪고 있는 강정마을에 대한 시인의 생각은 무엇일까? 강정마을 혹은 강정 해군기지를 둘러싼 내용이 들어 있는 시가 여러 편 눈에 들어온다. 그러나 그런 시편들은 강정마을에 대한 생각만이 아니라 제주에 대한 전반적인 내용 속에 부분적으로 들어 있는 경우가 대부분이어서 필자는 시인이 시 제목으로 강정을 호명한 세 편의 시를 주목한다. 「강정마을」, 「강정마을을 생각하며」, 「다시 강정마을을 생각하다」 등이 그것이다.

시인은 강정마을에 "아파서 한 번도 못 갔다"(「강정마을을 생각하며」). 그도 그럴 것이 시인은 그즈음 병원 출입을 제집 드나들듯 했고, 일 년이면 절반 가까이 출타하여 생활하였고, 시인보다 더 아픈 아내를 두고 있어서, 장거리 이동에 여러 가지 불편이 많았을 것이다. 중요한 것은 "해군기지 반대 메시지가 핸드폰에 가득 뜬다, 오라고"에서 알 수 있듯이 해군기지를 반대하는 단체의 네트워크에 문충성 시인이 있다는 것이다. 하여 시인은 텔레비전에서 전하는 해군기지 관련 정보를 가지고 강정마을을 생각하고 다시 생각했을 것이다. "강정마을 이장도 보이고 마을 사람들도/ 이름 모를 젊은이들도/ 경찰청장도 보이고 경찰들도/ 방송마다 반대하는 모습들 보인다".

지금 시인은 텔레비전에서 일방적으로 뱉어내는 해군기지 관련 강정마을 보도를 안타깝게 보고 있는 중이다. 섬의 역사가 웅변하듯이 섬것들이 중앙정부와 맞짱을 뜬 지난날을 떠올린다. 결국 처참하게 무너진 과거가 오버랩된다.

고려왕조 때는 항몽 삼별초 이끈

김통정 마지막 전투에서 패배해

몽고 식민지로 죽다 살았다 백 년 동안

조선왕조 때는 잘난 이들 못된 이들

벼슬 살고 유배 오가던 섬 부패 세상 극에 달해

참다못한 이재수네 덤볐다

힘 모자란 섬사람들 졌다 힘센

불란서에 손해배상을 했다

—「강정마을을 생각하며」 부분

그러면서 시인은 묻는다. (제주에)"세계평화의 섬 만들었다 이제/ 해군기지 만들고 있다/ 그럼 평화의 섬은?/ 강정마을은 어디에 있지?"(「강정마을을 생각하며」)라고. 그리고 시간은 흘렀다. 시인은 다시 병원 출입과 아내 간병과 자식들 집을 전전하면서 지냈을 것이고, 우연히 텔레비전을 통해 강정마을 구럼비 암반 발파 소식을 듣게 되었을 것이다. 8년째 지속되고 있음에도 이런저런 이유로 한 번도 가보지 못한, "하늘도 바다도/ 땅도/ 다 죽어"가는 강정마을에 대한 안쓰럽고 미안한 마음에 시인은 강정천 은어처럼 맑고 순정한 강정 사람들을 다시 떠올렸을 것이다.

연산호

돌고래

층층고랭이

따저비

맹꽁 맹꽁 맹꽁이

제주찔레꽃

하얗게 피어

하얀 향기 퍼지는 날

주민들

해군기지 결사반대 그중엔

찬성하는 이들도 있다

붉은발말똥게

구럼비 암반 발파

하늘도 바다도

땅도

다 죽어간다

저기

강정천

저리

흘러가고

은어는 살아 있을까

—「다시 강정마을을 생각하다」 전문

4.

앞서 필자는 『왕벚꽃 줍다』를 아픔에 대한 기록이자 슬픔에 대한 흔적이라 했다. 여기에 실린 시를 쓰는 동안 시인은 몸이 아팠을 것이고 때로는 죽을 만큼 아파서 견디기 힘들었을 것이다. "요추 수술에서 깨어나서 한꺼번에 몰려온 고통을 나는/ 제대로 표현 못 하겠다 몸이 종잇장 같았는데/ 허리와 다리를 칼로 베어내는 듯 아팠다"(「이성종, 양설자의 병문안」). 그 고통을 시인은 어떻게 건너왔을까. 이번 시집을 통해 필자가 확인할 수 있었던 것은 시인 문충성에게 있어 시란 곧 몸과 마음의 통증을 보듬어주고 쓰다듬어주는 일종의 진통제였음을 확인하게 된다. 시집을 펼치는 곳곳마다 그는 병실에 있다. 병실은 아픈 사람들이 혹은 짧게 혹은 길게 머무는 곳이다. 아픈 사람마다 통점이 다르겠지만 문충성 시인의 처방은 한결같다. 병상록을 쓰듯 써 내려간 시편들이 시인의 통점을 어루만진다. 통점이 깊으면 깊을수록 견디기 위해 버티기 위해 시인은 펜을 들었을 것이고 그 아픔을 시로 다독이면서 통증과 맞섰을 것이다.

세상이 캄캄하게
개 짖는 소리 제주대병원에서
멍멍멍 듣는다 병실 문 열고

나가 보면 겨울 안개 캄캄하게

세상을 덮고 병실 문 닫고

침대에 누우면 다시

개 짖는 소리 왕왕왕 왕왕왕

요추화농성 척추염으로 4, 5번째 요추

엉덩이뼈 떼어내서 수술했다 한다

수술은 잘 되었다 한다

그러나

개 짖는 소리 왕왕왕

눈앞이 점점

캄캄해온다 밤새

개 짖는 소리

캄캄하게 세상이

아프다

—「개 짖는 소리」 전문

개가 짖어 세상이 캄캄한지, 세상이 캄캄해서 개가 짖는지 그다지 문제가 되지 않는다. 겨울 안개 가득한 밤, 세상은 캄캄한데 병실에서 개 짖는 소리를 듣고 있다. 엉덩이뼈를 떼어내 요추 수술을 하고 시인은 지금 회복 중이다. 통증으로 잠이 오지 않는다. 어기적어기적 일어나 병실 밖으로 나간다. 개 짖는 소리가 들린다. 듣고 싶어 듣는 게 아니라 사위가 괴괴하여 그냥 귀에 들리는 것이다. 선 채로 버티기가 힘들다. 다시 어기적어기적 들어와 침대에 눕는다. 수술은 잘 되었다지만 "눈앞이 캄캄해"질 만큼 아프다. 아파서 세상이 캄캄하다. 캄캄해서 아무것도 보이지 않는다. 아파서 잠이 오지 않는다. 잠이 들지 못해서 개소리를 듣는다. "멍멍멍" 들리다가 "왕왕왕 왕왕왕" 들리다가…. 여전히 잠은 오지 않는다.

병원에 입원을 했었거나 간병차 여러 환자가 사용하는 병실에서 잠을 잔 적이 있는 사람은 그 풍경을 어렵지 않게 떠올릴 수 있을 것이다. "야옹 야옹 야아옹/ 고양이 소리 내는 코골이 소리"로 시인은 잠을 이루지 못한다. 다음 날은 "쿠르릉쿠르릉 쿠르릉" 코골이 소리에 여전히 잠을 이루지 못한다. 코를 골던 환자가 퇴원한다. "그런데/ 코골이 소리 안 들리는데/ 잠은 여전히 오지 않았다"(「코골이 명수」). 평소 불면의 고통에 시달리는 시인이 아니라면 잠이 오지 않는 이유는 자명하다. 통증이다. 코골이 때문에 잠이 오지 않았던 것이 아니라 통점을 파고드는 고통이 잠을 앗아간 것이다.

고통 속에서 시인은 어느 설날 저녁을 병실에서 혼자 맞이한다. 흰 눈이 내리는, 참 쓸쓸한 날이다.

검은 새들이 날아간다 검은 새들이

크고 작은 검은 새들이 매섭게

오늘 저녁에

날아간다 저녁을 만들며

겨울바람 속을 이름도 알 수 없는

그 매서운 크고 작은 새들이여

어디로 날아간 것일까 빈

그 하늘에 눈 내린다

흰 눈 내린다 흑룡도 행방이 없고

흰 눈 내린다

네모진 하얀 병실에 누워

혼자

설날

저녁

—「임진년(壬辰年) 설날 저녁 하얀 병실에서」 전문

이러구러 병실 생활은 계속되었고 점차 몸이 기운을 되찾으면서 시인의 시선은 함께 아픔을 나누고 있는 환우들을 향한다. 시인은 병실에서의 소소한 일상을 놓치지 않고 마치 간호사가 환자의 증상을 일일이 꼼꼼히 체크하듯이, 재간 뛰어난 화가가 움직이는 사물을 잽싸게 크로키하듯이 운율이 깃든 감각적인 언어로 순간순간을 포착한다. “부산 이 씨/ 표선리

강 씨/ 고산리 박 씨/ 건입동 이 씨"를 만나고 "교통사고로, 술을 너무 많이 마셔서, 어깨 인대가 늘어나서/ 당뇨로 팔다리뼈가 뒤틀려서, 허리뼈가 부러져서/ 코뼈가 부러져서, 전립선 수술해서"(「입원 이후」) 입원한 환우들과 마주한다. 시인으로부터 『어린 왕자』 강의를 들은 119대원을 만나고, "대학병원 담당의사가 신통치 않아 다른 병원으로 옮긴다는 이 씨"(「어떤 퇴원」)도 만난다. "수고하십니다!" 인사말까지 준비하고 코앞에서 마주쳤는데 표정이 없는 간호사(「인사하기」)도 만나고, 언제나 입가엔 미소가 감도는 "내 밥그릇까지 때로 운반해주던 아줌마"(「어떤 간병인 아줌마」)도 만난다. 고만고만하고 살가운 이웃들이다.

어디 그뿐이랴. 시인의 안부를 묻기 위해 찾아온 벗들을 그는 꼼꼼히 기록으로 남기고 있다. "설날을 병실에서 맞는 너는 참으로/ 쓸쓸할 거야! 참아라!"고 문자를 보낸 고태홍, "허리 수술해 앉고 걸을 수 있는 게/ 얼마나 다행한 일이냐고!" 다독이는 황우럭, 한라산 넘어 서귀포 취재 다닐 때, "하룻밤도 자지 말라고/ 깊은 밤 술 취한 나를 언제나/ 총알택시에 태워 보내던" 홍명표, "몸도 편치 않은 그가 일요일인데도/ 달콤한 베지밀 사 들고/ 내 병실에 찾아온" 곽상필, 환자의 고통에 대해 의사는 "죽지 않을 정도라는 것만 이론적으로 알 뿐"이라는 이성종 원장과 그의 아내, "눈 오는 밤/ 카스텔라까지 사 들고" 찾아와 준 김익수, "너무 걱정 말라고/ 빨리 회복해서/ 초밥에 돔지리를 먹자고" 위로해주던 이용희 등에 대한 고마움을, 그 따뜻함을 문충성 시인은 마치 출석을 부르듯이 한 사람 한 사람 호명한다.

병상에서 일기를 쓰던 시인은 어느 날 퇴원을 한다. 시인은 그날의 감회를 이렇게 남긴다.

> 나 오늘 퇴원한다 만세 삼창하기로 했다
> 만세! 만세! 만세! 속으로
> 화장실에서
> 나 만세 삼창했다
> 오늘부터 나는 자유다
> —「오늘부터 나는 자유다」 부분

그리고 역시 환자의 몸으로 환자를 간병한 사랑하는 아내에게 그리고 벗들에게 고마움의 인사를 마치 문자메시지 보내듯 짧지만 결코 짧지 않게 말을 건넨다.

> 너무 고생했다 당신!
> 아파도 아프다는 말도 못 하는 걸 알지!
> 평생을 사랑하는

당신은 잘 모를 거야!

—「퇴원하는 날」 전문

너무 큰 빚을 졌구나!

다시는 아프지 않았으면

이 세상 살며 만난 친구들

너무나 고맙구나!

—「집에 돌아와서」 전문

5.

문충성의 시집 『왕벚꽃 줍다』를 접어야 할 시간이다. 어눌한 안목과 누추한 시선으로 시를 읽고 또 읽은들 무슨 소용이 있겠는가. 아쉬움이 있다면 접어둔 시편들 몇몇은 그냥 접어둔 채 매듭을 지어야 한다는 것이다. 안목 그윽하고 시선 깊은 어느 평자(評者)의 몫으로 미뤄둘 수밖에 없다. 그럼에도 불구하고 두 편의 시가 필자의 시선을 붙들어 맨다. 하나는 「내가 다시 이 세상에 태어난다면」이고 나머지는 「이별가」이다.

「내가 다시 이 세상에 태어난다면」은 마치 시인이 시적 화자에게 혹은 시적 화자가 시인에게 고백하는 고해성사로 읽힌다. "내가 이 세상에 다시 태어난다면/ 제주섬에서는 살지 않게 해다오"로 시작해서 "산을 더욱 깊게 하는 저물녘/ 여기저기 눈

뜨는 별들 총총히/ 이마에 쏟아져 내리는/ 거기서/ 한 십 년만 살게 해다오/ 내가 이 세상에 다시 태어난다면"으로 갈무리하는 시를 읽으면서 불현듯 걸음걸이가 조금은 불편하고, 백발이 성성한 노 시인의 뒷모습이 아슴아슴하게 멀어져간다. 느닷없이 왜 그런 영상이 떠올랐을까? 다시 시집 원고를 펼친다. '책머리에'를 다시 읽는다.

…시를 쓰지 않으면 죽을 것 같았다. 그렇다고 이 시들이 죽음과 맞서 싸운 내 삶의 노래는 아니다. 오히려 남루한 내 삶을 따뜻하게 감싸 안으려는 자그만 날갯짓에 지나지 않는다. 서서히 건강이 회복되는 것이 아니라 죽어가고 있음을 깨닫는다.

그렇게 멀어져 간 빈자리에 하늘 어디에선가 꿈을 꾸지 못해 꿈속에서 죽은 늙은 호랑나비 한 마리가 팔랑팔랑 지상으로 내려온다. 날갯죽지를 가만히 들여다본다.

「이별가」가 눈에 들어온다. 읽고, 접는다.

나
이제
내 그림자 벗어놓고
떠나가리

빈 몸으로

가진 것 하나 없어
그냥
기침 소리라도
제자리에
두고 가리

저 새파란 하늘 속을
말없이
흰 구름같이
나
—「이별가」 전문

*생전에 문충성 시인으로부터 시집 『왕벚꽃 줍다』의 발문을 써 달라는 청탁을 받았다. 발문을 써서 보내드렸는데 무슨 연유에선지 시집은 발간되지 않았고, 선생님은 2018년 유명을 달리하셨다. 삼가 고인의 명복을 빈다.

4부

4·3의 아픔,
시어와 시어로
잇다

4·3에 대한 진상규명과 운동은 문학인의 양심에 방향성을 잡아주었다고 해도 과언이 아니다. 과거 현기영 소설가가 「순이 삼촌」으로 금기시된 제주 4·3을 다룬 후 많은 예술인들이 비극적인 역사를 작품에 녹이는 데 앞장서왔고 경찰과 보안기관으로부터 수난을 당했다. 시인 김수열(61)도 그랬다. 180이 훌쩍 넘는 큰 키에 마른 체형의 사내가 선택한 장르는 시였고, 아픔을 함축한 문장 속에는 4·3의 비극과 유족들의 아픔이 느껴진다. 시인과 문학인으로서 그의 삶을 조명하고 4·3에 대한 과제를 듣기 위해 후배 문인 중에서 시인 현택훈이 대담자

로 나섰다. 때마침 시인 김신숙도 동반하면서 4·3문학과 예술 활동을 중심으로 자유롭게 대화를 나눴다.(—『제주작가』 편집자 주)

교직을 떠난 후 여러 활동을 하셨습니다. 요즘 코로나19의 시기를 지나고 있는데, 근황이 궁금합니다.

교직을 떠난 지 이제 5년이 지났습니다. 코로나로 인해서 많은 생각을 하게 됩니다. 개념 없이, 속절없이 무한 질주해온 우리의 문명이 그 대가를 치루고 있는 게 아닌가. 그래서 저는 '사회적 거리두기'라고 하는 게 참 의미심장하게 다가옵니다. 덕분이라고 할 수는 없지만, 요새 혼자 있으면 평소에 읽고 싶었던 책 읽고, 다시 읽고 싶었던 책들도 다시 꺼내 읽고 있습니다. 그간 썼던 원고를 정리하는 중이기도 합니다. 산문집을 낼 계획도 있습니다.

퇴직 후 좀 제주문화예술위원회 위원장, 제주4·3범국민위원회 공동운영위원장, 제주작가회의 회장 등을 맡았습니다. 작년서부터는 명함 없이 지내며 산다 했는데, 올해 덜컥 한국작가회의 부이사장직을 맡게 되었습니다. 어쩔 수 없이 그 일을 맡아서 하고 있는데, 조금이라도 도움이 됐으면 하는 생각으로 같이하고 있습니다.

시 쓰기와 함께 극예술도 해오셨는데, 문화예술에 대한 나름의 철학이 있으실 것 같습니다.

제가 2015년 2월에 퇴직을 했는데, 어떤 계기가 있다면 2014년 세월호 참사가 먼저 생각납니다. 그 배가 제주도로 오는 중이었고, 저는 학생들과 함께 교실에서 그 모습을 보면서 제가 할 수 있는 게 아무것도 없다는 점이 막막했습니다. 그러면서 제 자신을 돌아보게 되었는데, 앞으로 무엇에 더 집중해야 할까, 하는 생각을 많이 하면서 퇴직을 결심했습니다. 그 집중해야 할 부분이 4 · 3과 문학입니다.

제가 고등학생일 때는 서울로 가는 것이 곧 출세였던 시절이었습니다. 나는 출세에 실패해 제주도에 있구나, 하는 생각을 했었습니다. 하지만 제주에서 대학을 다니면서 제주를 알게 되었고, 1980년 제주 최초의 문화운동체라 할 수 있는 극단 '수눌음' 창단에 참여하게 됐습니다. 당시 육지 자본에 의한 제주 토지 투기가 본격화될 때였는데, 그 문제를 다룬 작품을 제주의 굿 형식으로 풀어낸 작품 〈땅풀이〉를 만들어 공연했고, 고려시대 삼별초항쟁을 제주민의 관점에서 재조명한 작품 〈항파두리 놀이〉 등을 공연하면서 제주의 역사와 제주의 민속에 눈을 뜨게 된 것 같습니다. 그 무렵 『실천문학』 신인상으로 등단을 했지만 시보다 대본 쓰고 연출하는 게 더 재미있었습니다. 시에 비해 마당극은 현장에서 관객의 반응을 바로 알 수 있어서 생동감이 있었지 않나 싶습니다.

1980년대는 4·3을 언급할 수 없었던 시기였습니다. 극단 '수눌음'에 이어 놀이패 '한라산' 등을 통해 문화운동의 주역으로 청년기를 보내셨는데, 남다른 어려움도 많았을 것 같습니다. 어떤 일들이 있었나요?

1979년에 소설집 『순이 삼촌』이 간행됐는데, 그즈음에 현기영 선생을 알게 되었습니다. 현기영 선생은 그 소설로 인해 고초를 겪기도 했는데, 결국 극단 '수눌음'은 당시 현안을 정면으로 다루었다는 이유로 강제 해산되고 말았습니다. 그 후 1987년에 놀이패 '한라산'이 만들어졌고, 1989년에 처음으로 4·3을 다룬 작품 〈4월굿 한라산〉을 무대에 올렸습니다. 물론 그 작품으로 해서 나만이 아니라 당시 작품에 함께했던 모든 단원이 모 처에 가서 조사를 받아야 했던 일이 새삼스럽습니다. 공권력은 그렇게 계속 탄압을 해왔습니다. 하지만 우리는 그에 굴하지 않고 〈백조일손〉, 〈헛묘〉 등 약 스무 편 정도의 작품을 계속 공연했습니다. 특히 '수눌음' 시절 계엄 당국의 제약이 많았는데, 제주어로 표기되어 있어서 검열을 피한 사례도 있습니니다.

그 무렵 저는 또 전국교직원노동조합 건설과 관련하여 해직되는 바람에 5년 가까운 시간을 학교 밖에서 보내야 했는데, 부모님과 가족에게 여간 미안했던 게 아니었습니다. 고등학교에서 수업 중이었는데, 기관원들이 들이닥쳤습니다. 저는 수업은 다 끝내고 가겠다고 했습니다. 그때 그 교실의 모습이 잊히지 않습니다. 기관원들이 우리 집에 신발도 벗지 않고 들어왔는데, 어머니가 그 신발 벗으라고 소리를 지르자 기관원들이 신발을 벗더군요. 이른바 불온 도서를 찾겠다는 건데, 영 찾지를 못해서 제가 도와주기까지 했습니다.

제 시를 보면 대부분 서사가 있습니다. 마당극을 함께해서 그럴 겁니다. 이야기가 있고, 등장인물의 심리가 시적 화자로 들어갑니다.

극예술을 하면서 기억에 남는 작품들이 많을 것으로 보입니다. 몇 작품 말씀해주세요. 극예술이 시에 끼친 영향이 있을까요?

세화리 해녀 항쟁을 다룬 〈좀녀풀이〉, 이장형 간첩단 조작 사건을 극화한 〈저 창살에 햇살이〉, 조선족이라는 이유로 제주에 올 수 없었던 연극인의 삶을 얘기한 〈현해탄의 새〉 등이 기억에 있습니다. 〈백조일손〉의 경우, 그때는 백조일손(百祖一孫)

에 대해서 입에 오르내릴 수 없는 시절이었는데, 제주에서 공연하고 그 현장인 모슬포에 가서 현장 공연하면서 당시 유족들과 만났던 기억이 새롭습니다. 최상돈의 노래 〈애기동백꽃의 노래〉가 주제곡으로 처음 발표된 동명의 마당극 〈애기동백꽃의 노래〉를 할 때는 재정적으로 어려움이 많아 장기 공연이 이루어지지 않았지만, 그래도 그 노래가 남아 이렇게 불리고 있으니 다행입니다.

제가 희곡을 계속 쓰다 보니 자연스럽게 터득한 창작 기법을 시에도 적용을 하게 됐습니다. 가령 제 시 「콩국」을 보면 콩국 끓이는 순임이가 등장합니다. 일단 인물을 잘 관찰해야 합니다. 그 인물들은 거의 다 약하고 소외받는 인물들입니다. 제가 가르친 제자들에 대한 시도 그렇습니다. 대부분 내세울 것이 없는 학생들입니다. 그런 학생들에게 마음이 먼저 가는 건 시인이라면 당연한 마음일 겁니다. 저는 시에서 인물을 통해 입체적인 공간을 만들었던 것입니다. 문장을 통해서 인물의 감정을 전달하는 셈입니다.

1998년 제주작가회의 창립을 주도했고, 계간 『제주작가』 편집위원장으로도 오랫동안 활동했고, 제주작가회의 회장직도 맡으셨습니다. 재임 중 의미 있던 일, 아쉬웠던 일이 있을까요?

창립이 엊그제 같은데 벌써 22년이 흘렀네요. 많은 선배 동료 작가들이 있어서 여기까지 올 수 있었습니다. 제주작가회의를 만들기 위해 문충성 선생님을 비롯한 많은 문인들이 문인협회에 탈퇴서를 내고 작가회의를 창립했습니다. 그래서 제주작가회의 초대 회장은 문충성 선생님이 맡고, 저는 초대 사무국장을 맡았습니다. 그 후 『제주작가』 편집위원장을 오랫동안 맡으면서 편집권의 독립을 확보했던 게 기억에 남습니다.

문충성 선생님이 이런 말을 한 적이 있습니다. "물은 많아지면 얕아진다." 회원의 수가 중요한 것이 아니라 한 사람 한 사람을 소중히 여기는 문학 단체가 되어야 한다는 것입니다. 지금 회원 수가 많아졌는데 이는 한편으론 반가운 일이지만 이런 때일수록 신중해져야 한다는 생각입니다.

등단 이후 오장환문학상, 신석정문학상 등을 수상하셨습니다. 행불인에 대한 시 「거친오름 가는 길」, 수장당한 분들에게 바친 시 「물에서 온 편지」, 제주국제공항에서 학살당한 비극을 그린 시 「정뜨르 비행장」 등의 4·3 시가 떠오르네요. 4·3 시를 쓰면서 4·3의 문학적 접근과 작가로서의 사회적 역할은 무엇이라고 생각하십니까?

저로서는 과분한 상을 받았습니다. 상을 받은 게 늘 마음의 빚으로 남아 있습니다. 심사를 하셨던 분들과 제 시에 들어와 제게 그런 영광을 주신 4·3 영령들에게 부끄럽지 않은 시인이 되도록 노력하겠다는 생각을 하게 됩니다.

4월 3일 무렵이면 행불인 묘비 부근에 가서 온종일 앉아 있곤 합니다. 그때 알게 된 사연으로 쓴 시가 「거친오름 가는 길」입니다. 「물에서 온 편지」는 2014년에 썼습니다. 그때 제주민예총에서 4·3 당시 수장당한 원혼을 위한 4·3해원상생굿을 준비하는데, 세월호의 학생들 모습이 눈앞에 아른거리면서 세월호가 들어왔어야 할 바로 그 산지부두에서 그 시를 낭송할 때 너무 떨려서 읽기가 어려웠습니다.

저는 '4·3의 완전한 해결'이라는 말에 동의하지 않습니다. 그러면 죽은 사람들을 살려낼 수 있다는 말인가요? 유족들의 입장에서 만족할 만한 해결이 있을 뿐이지 완전한 해결이라는 말은 정치적 수사에 지나지 않습니다. 이는 세월호도 마찬가지입니다. 작가는 잠수함 속의 토끼가 되어야 합니다. 그 사회의 수질을 가늠하는 바로미터인 셈입니다. 작가는 본질적으로 사회적인 존재일 수밖에 없습니다. 모두가 '예'라고 할 때 작가는 양심을 걸고 '아니오'라고 할 수 있을 때 작가는 자유롭습니다.

최근 4·3평화재단과 제주시가 주최하는 창작 오페라 〈순이 삼촌〉 대본을 집필하신 걸로 압니다. 선생님과 현기영의 소설 「순이 삼촌」과의 인연이 여기까지 왔네요. 집필을 하시면서 든 소회가 궁금합니다.

10여 년 전에는 「순이 삼촌」의 시나리오 작업을 한 적이 있는데 영화화되지 못했습니다. 이번에 제가 대본은 쓰지만, 오페라의 문법은 문외한이라 소프라노 강혜명 씨가 각색을 맡아주었습니다. 저로서는 현기영 선생과의 인연도 인연이지만 소설 속 '순이 삼촌'과의 인연을 계속 생각하게 됩니다. 30년의 유예를 지나 총알이 박혔다는 그 부분처럼 살아남은 자들의 삶을 생각하게 되고, 제가 시를 써온 시간과 순이 삼촌의 생애를 생각하면 순이 삼촌을 알게 된 이후 늘 함께한 듯한 생각이 드는 겁니다.

오페라는 서정적인 요소가 많습니다. 서사를 서정으로 바꾸는 게 관건인데, 서사적인 언어를 정서적인 언어로 환치하는 것에 중점을 뒀습니다. 그래서 노래가 한 23곡 정도 됩니다. 아주 대작이 될 것 같습니다. 공연 시간도 2시간 반 정도 될 것 같다고 하는데, 이제 개봉을 앞두니 긴장되고 두렵습니다.

이제 마지막 질문입니다. 4·3 시를 쓰면서 베트남 문인과의 교류를 추진해온 것으로 압니다. 작년 서울국제작가축제에서는'혐오'라는 키워드를 4·3과 연결 지어 말씀하셨는데요. 앞으로의 4·3문학의 방향에 대해서 말씀해주십시오.

내가 아프면 내가 남에게 아픔을 준 적은 없나를 먼저 생각해야 됩니다. 그렇지 않고 나만 아프다는 것은 엄살에 불과합니다. 그런 차원에서 우선 떠올랐던 게 베트남입니다. 그래서 한 10년 전 제가 제주민예총 이사장으로 있을 때 베트남 작가들을 만나면서 우선 사과를 먼저 했습니다. 최근에 제가 쓴 「데칼코마니」라는 시가 있는데요. 어쩜 그렇게 초토화 작전으로 학살하는 부분이 똑같은지…. 제노사이드의 문제, 국제 인권의 문제 등으로 인식하게 됩니다. 오키나와, 대만, 난징, 대구항쟁, 여순 등과의 연대가 앞으로 우리에게 주어진 과제라는 생각이 듭니다.

머지않아 4·3 80주년이 됩니다. 많은 생존희생자들이 유명을 달리하고 있습니다. 앞으로 4·3은 교육과 예술에 중점을 두어야 한다고 생각합니다. 교육을 통해 4·3의 정신이 계승되고, 예술을 통해 확장되어야 합니다. 검인정교과서에도 나와 있듯이 4·3은 통일운동이었습니다. 그 당시 얼마나 젊고 푸른 생각입니까. 그래서 이러한 정신을 이어받아 우리의 미래 세대가 '4·3은 푸르다'라고 당당히 말할 수 있는 때가 오면 좋겠습니다.

●

제주작가회의
20년을
회고하며

2018년은 제주작가회의가 20주년을 맞는 해이기도 하고, 『제주작가』가 계간지로 전환한 지 10년이 되는 해이기도 하다. 또한 4·3 70주년이라는 의미도 있다. 제주작가회의와 『제주작가』, 그리고 제주문학과 4·3에 대해 여러 이야기를 해줄 수 있는 작가였으면 좋겠다는 생각을 했다. 그래서 김수열 시인을 만나기로 했다. 제주작가회의 창립 회원이면서, 초대 사무국장을 맡아 살림을 꾸렸고, 편집위원장을 맡으면서 『제주작가』 발간에도 많은 역할을 했으며, 제주작가회의 회장까지 역임했기 때문이다. 유독 쌀쌀했던 겨울날 한 커피숍에서 그를 만났다.

(—『제주작가』 편집자)

2018년으로 제주작가회의가 창립된 지 20주년을 맞는다. 창립 멤버로서 감회가 새로울 것 같다. 오래된 회원들은 이미 알고 있겠지만 최근에 회원이 된 분들은 제주작가회의의 시작이 궁금할 것 같다. 제주작가회의의 창립 과정에 대해 이야기를 해달라.

1994년 2월에 제주민예총이 만들어졌고 그해 4월 바로 4·3 예술제가 열렸다. 제주민예총이 만들어질 당시에는 분과 체제로 문학위원회가 있었다. 제주작가회의 창립 이전이다. 그때 명단이 제주민예총에 남아 있을 텐데 문학위원회에 있었던 분들 중에 문무병, 나기철, 김광렬, 김창집 회원 등이 제주에도 작가회의를 만들어 영역을 넓히자고 논의가 되었고, 김병택 선생과도 타진이 이루어졌다. 김병택 선생하고 논의하면서 상징적인 측면도 있고 해서 문충성 선생을 초대 회장으로 모시기로 했다. 문충성 선생이 수락을 하면서 1998년 2월에 제주작가회의가 창립되었다.

벌써 20년이 되었다니 감회가 새롭다. 문충성 시인이 회장을 맡으면서 한 얘기 중에 지금도 제일 먼저 떠오르는 것이 있다. "아무것도 안 해도 좋은데 기관지는 만들어야 한다. 회원은 30

명이 안 되어도 좋다. 정말이지 내용이 알차고 부끄러움 없는 기관지 하나 만들 배짱이 없으면 굳이 제주작가회의 만들어봐야 살아남기 어려울 거다"라고 했다. 그 때문인지 『제주작가』 창간호를 만들면서부터 상당히 신경을 썼고, 출판사도 서울에 있는 실천문학사와 만나 협의를 하고 거기서 책을 내게 되었다. 참고로 실천문학사가 지역 기관지를 출판한 건 제주작가회의가 처음이다.

그때는 재정 지원도 없어서 한 3년 동안은 자체적으로 기금을 마련하면서 해야 했다. 처음에 고생했던 사람들이 있었기에 여기까지 온 것이 아닌가 한다. 내가 『제주작가』를 평가하는 게 가당치 않은 일이겠지만 언제부턴가 다른 지역 작가회의 회원을 만났을 때 『제주작가』에 대해서 좋은 평가를 듣곤 하는데, 욕먹을 짓은 안 했구나 하는 안도감이 든다.

제주작가회의 초대 사무국장을 맡았던 것으로 알고 있다. 제주작가회의의 초창기 시절 이야기가 궁금하다. 특별히 기억나는 일이 있으면 이야기를 해달라.

처음에는 사무실도 없고 나도 직장엘 다니고 있어서 사무국장 밑에 사무차장을 두었다. 내가 쓰고 있는 핸드폰 뒤 번호가 1991인데 우리 집하고 아무런 관계가 없다. 그때 제주작가회의에 사무실도 없다보니까 사무차장에게 휴대폰 하나를 해줬다. 그 휴대폰 뒷자리 번호가 1991이다. 그 친구가 그만두게 되면서 내가 쓰게 되었다. 그래서 지금까지 그 번호를 계속 쓰고 있다. 그때 정말 고마운 사람들이 몇 생각이 나는데, 그중에 문영종 회원이 있다. 당신의 지하 공간을 작가회의 사무실로 선뜻 내줬다. 원래는 창고로 쓰던 공간인데, 그 선배가 선뜻 그걸 내줘서 며칠 동안 청소하면서 사무실로 꾸몄다. 그리고 당시 회원들이 소장하고 있던 책들을 가져다 놓았다. 나기철 회원이나 김창집 회원들이 문청 시절부터 가지고 있던 책들을 가지고 왔다. 그렇게 그곳을 사무실로 썼다. 사실 문학 단체 사무실이라고 하는 것이 공간을 마련한다손 치더라도 매일 사람들이 들락날락거리는 건 아니기 때문에 공간 활용 측면에서는 무척 미안했다. 문영종 회원은 고맙게 우리에게 내줬는데 우리는 한 달에 한두 번 회의할 때나 쓰고 그랬다. 그러다 정확히 기억은 안 나지만 그곳이 '나무물꼬기' 찻집으로 바뀌었다.

또 지금은 없어졌지만 초창기에 소식지를 발간한 적이 있다. 주로 홍성운 시인이 맡아서 낸 것으로 기억한다. 그때는 『제주작가』가 상 · 하반기 두 번 내는 책이었다. 그러다 보니 회원들과 직접 만날 수 있는 계기가 많지 않았다. 소식지 이름은 생각이 나지 않지만 1년에 분기별로 한 번씩 만들었던 것으로 기억한다. 타블로이드판으로 만들어서 회원들한테 돌렸다. 긴 기간은 아니었던 것 같다.

제주작가회의의 얼굴이라고 할 수 있는 『제주작가』가 이제 60호를 앞두고 있다. 편집위원장을 맡아 『제주작가』 발간에도 많은 역할을 한 것으로 알고 있다. 『제주작가』가 지금까지 꾸준히 발행할 수 있었던 힘은 무엇이라고 생각하나.

내가 초대 사무국장을 하다가 그 후로는 주로 『제주작가』 편집을 맡았다. 그렇게 한 속뜻은 회장단이나 이사회로부터 『제주작가』 편집권을 독립시켜야겠다는 생각을 했기 때문이다. 절대 거기에 귀속되거나 영향을 받아서는 안 된다고 생각했다. 그러면 분명히 문제가 생길 수밖에 없을 거란 믿음에서 그거 하나만큼은 지금까지 지켜왔다고 생각한다. 그런 덕분에 오늘의 『제주작가』가 있지 않나 하는 생각이 든다.

제주작가회의가 대단하다고 느끼는 것 중에 하나가 『제주작가』라고 하는 기관지를 한 번도 거르지 않고 발간하고 있다는 것이다. 거르지 않고 내는 것에 그치는 것이 아니라 그때그때 잘 만들어낸다고 생각한다. 2008년부터 『제주작가』가 계간지로 전환했는데, 그때 과연 제주 지역에서 계간지가 가능한가에 대해 격렬하게 토론한 적이 있었다. 한번 밀어붙이자고 했다. 참 당돌한 용기였다. 예전보다 비용이 두 배가 더 들어가는 건데, 그래도 했다. 지금은 완전히 자리 잡았다고 본다.

『제주작가』 창간호에 보면 '예인 탐방'이라는 코너가 있다. 예술가를 소개하는 코너였는데 예전에 편집위원장을 맡았을 때도 이런 코너에 대한 애착이 많았던 것으로 알고 있다.

'예인 탐방' 같은 경우에는 이게 20년 전 콘셉트이다. 그게 상당히 절실했던 이유가 뭐냐면 사람들이 문학이라고 했을 때 문학 카테고리 안에서만 고민할 게 아니라 다른 예술 장르와 교감이 필요하다고 생각했다. 그래서 굿이면 굿, 미술이면 미술, 한번은 돌하르방 만드는 사람을 만난 적도 있었다. 맡겠다는 사람이 없어서 계속 내가 했다.

'예인 탐방'이라고 하지는 않더라도 새로운 젊은 편집진들이 그런 아이템에 대해서는 고민해볼 필요가 있다고 생각한다. 외부에서 예술가들이 많이 이주해오고 있는데 우리는 그 사람들이 예술가인지 아닌지 구분하기조차 어렵더라. 젊은 편집진들이 논의해서 제주에 뿌리내리는 예술가들을 취재해서 소개를 해주는 것이 필요하다고 생각한다. 나는 그게 『제주작가』가 해야 할 일이라고 생각한다. 선배 작가들에 대해서도 지면을 할애해야 되겠지만, 그 정도의 비중을 두고 젊은 층에 대해서도 소홀히 해서는 안 된다고 생각한다.

제주작가회의와 4 · 3하고는 떼려야 뗄 수 없는 관계라고 할 수 있다. 20년 전에는 4 · 3에 대한 공론화가 많이 되지 않았을 시기였을 텐데 4 · 3에 대한 행사를 열고, 앞장서서 나선다는 것이 쉽지 않았을 것 같다.

제주작가회의가 4 · 3에 대해서 계속 작품을 통해서든 어떤 식이든 접근할 수 있었던 것는 강덕환, 오승국, 김경훈 회원이 한 역할이 대단하다고 본다. 끊임없이 그걸 해왔으니까. 그 친구들이 시인의 길도 걸으면서 4 · 3 조사위원, 전문위원을 하면서 현장을 계속 다녔고, 4 · 3에 대해 끊임없이 공부해서 너무 잘 알고 있었다. 그래서 당연히 제주작가회의와 인연이 닿았겠지만 그 이전에 위로는 현기영 선생에서부터 한림화 선생까지 자연스럽게 제주작가회의에 들어오게 됐다. 제주작가회의에서 4 · 3 시를 쓰고, 4 · 3 관련 문학 행사를 해야 한다는 것을 아마도 숙명처럼 생각하고 있었다고 해도 지나친 표현이 아니다. 다른 작가들이 말하기를 주저할 때 우리만큼은 해야 한다는 생각이다. 그게 제주작가회의의 존립 근거라 해도 되지 않을까 한다.

지금은 과거와 달리 4 · 3에 대해 많은 사람들이 알고 있다. 그래서

4·3에 대해 지금까지와는 다른 문학적 접근이 필요할 것 같다. 앞으로 제주작가회의 회원들이 어떤 자세로 4·3을 바라보아야 할까.

아주 중요한 질문이다. 『제주작가』에서 젊은 평론가나 젊은 작가들이 토론을 자주 그리고 많이 해봤으면 좋겠다. 나도 4·3을 체험하지 못한 세대다. 미체험 세대 중에서도 1.5세대에 해당이 된다고 본다. 4·3을 몸으로 겪은 사람들의 생생한 증언을 직접 들으면서 자란 세대라는 뜻이다. 4·3 70주년의 상징적인 의미는 1948년에 태어난 사람이 만 70세가 된다는 이야기다. 그때 10살이었던 사람은 80세가 된다. 육성으로 증언할 수 있는 마지막 세대까지 왔다는 이야기다. 4·3 80주년은 나름대로 의미가 있겠지만 70주년과는 전혀 다른 의미로 다가올 것이라고 생각한다. 산 자와 죽은 자, 실질적인 체험자와 미체험자가 함께할 수 있는 행사는 이번 70주년이 마지막이 될 것 같다.

우선 4·3에 대한 외연 확장의 기회를 놓치면 안 된다고 생각한다. 술자리에서 가끔 하는 이야기지만, 현기영 선생의 「순이 삼촌」을 뛰어넘지 못할 바에는 작품을 써봐야 아마도 '내가 한 편 썼다'는 정도에 그치지 않을까 한다. 그런데 지금까지 보게 되면 문학으로서 「순이 삼촌」이 길을 열어놓으니까 그다음에 강요배라는 화가가 역사화로 뒤를 이었다. 한참 후에 영화가 다시 한번 터트렸다. 나는 다시 한번 돌아와야 할 것이 문학이라고 생각한다. 이때 문학은 「순이 삼촌」을 뛰어넘는 문학이라야 한다. 외연이 확대된, 더 넓은 4·3이어야 하겠다. 현재와 만날 수도 있고, 동아시아의 민중들과도 만나는 문학이어야 할 것이다.

4·3을 평화와 인권으로 계속 살려내는 것이 중요한 것이다. 그때의 죽음이 지금 여기에 무슨 의미인가를 찾아내자는 거다. 그래서 다시는 그런 일이 반복되지 않게끔 만들어나가자는 것이 문학이 할 역할이라고 생각한다. 문학은 시대를 뛰어넘는다. 100년 후의 독자가 읽더라도 깊은 울림이 있어야 하지 않겠나.

문학이 언어로 하는 예술인만큼 제주 작가들이 제주어로 문학을 하는 것도 중요하다고 생각한다. 『제주작가』에도 그동안 제주어로 된 작품을 꽤 게재했다. 김수열 시인 역시 제주어 시를 많이 쓰는데 제주어로 작품 활동을 하게 된 계기가 있는지 궁금하다.

다른 자리에서도 이런 이야기를 한 적이 있는데, 누구나 동일하겠지만 우리가 습득한 최초의 언어는 제주어다. 나는 초등학교 입학 전까지는 표준어를 몰랐다. 나는 모어(母語)라는 말을 많이 쓰는데 모국어와는 다른 개념이다. 외국에 있을 때 자기 나라 언어를 모국어라고 하는데 모어는 태생적으로 어머니

배 속에서 익힌 언어다. 당연히 나의 모어는 제주어다. 태어났을 때 가장 먼저 들었던 언어가 제주어였을 거고, 정규교육 과정 이전에 내 주변의 모든 것을 나의 모어로 규정했을 것이다. 그랬던 것이 학교교육에서 표준어 교육을 받으면서 마치 표준어가 상위어이고 제주어가 하위어인 것처럼 되어버렸다. 나도 한때 제주어를 쓰면 마치 한 단계 덜 교육받은 것처럼 취급받는 것 같아 서툰 표준어를 쓰려고 노력한 적이 없지 않았다. 지금 생각해보면 창피한 노릇이다.

시를 쓰다 보면 가끔 표준어로 안 되는 시들이 있다. 시도 아니고 잡글도 아니고 아무것도 아닌 게 된다. 내가 쓴 제주어로 된 시의 칠팔 할은 내가 새로이 쓴 글이 아니라 내 취재에 응해준 그분들이 하신 이야기 그대로다. 가능하면 토를 안 달고 액면 그대로 전하려고 한다. 나는 거기에 시인의 역할이 있다고 생각하는데, 시인에게는 그 사람의 삶을 온전하게 전달해주는 전달자 역할도 매우 중요하다고 생각한다. 작위적으로 가공해버리면 안 된다. 그분들의 이야기 자체가 하나의 기록이자 역사라고 감히 말하고 싶다. 이것이 작가들이 가져야 할 소명 의식이 아닌가 한다. 나는 주로 어머니의 이야기를 많이 쓰는데 아마도 나중에 어머니는 돌아가시겠지만, 어머니가 했던 언어들은 생생하게 기록으로 남을 것이다.

제주작가회의가 10주년을 맞아 『제주작가』 계간지 전환이라는 큰 도전을 했고, 지금까지는 성공적이었다고 생각된다. 이제 20주년을 맞아 한 번 더 도약을 할 수 있는 것에는 어떤 것들이 있을까.

내가 제주작가회의 회장을 연임하면서 한 가지 아쉬움이 있다면, 작품을 낸 회원들에게 작은 성의 표시로 소정의 원고료를 지급해야 하는데 그걸 하지 못했다는 것이다. 그나마 외부 필진에 대해서는 작은 성의 표시를 할 수 있게 된 것에 만족해야 했는데, 참 미안하게 생각한다. 그래서 내가 기대하고자 하는 변화 중 하나는 우리 회원들도 시를 써서 라면 값 정도는 받았으면 좋겠다. 이제는 계간지를 유지해나가면서 작품에 대한 고료를 책정하는 방향을 반드시 검토해야 한다. 다른 여타 지역의 작가회의인 경우도 비록 적은 액수지만 자체적으로 고료를 지급하는 곳이 있다고 알고 있다. 금액이 적으니까 지급하나 마나 한 것이 아니냐고 할 수 있지만, 준다는 것 자체가 커다란 의미다. 청탁을 받는 사람도 청탁을 하는 편집진도 그만큼의 책임이 뒤따르기 때문이다. 한번 심도 있게 고민해볼 필요가 있다.

『제주작가』의 확장성도 매우 중요하다는 생각이 든다. 장이지 주간 이후에 외부 필진이 가능했던 것은 적은 금액이라도 성의 표시가 있었기 때문이다. 원고료를 준다는 것 자체가 제주작가회의에서 당신의 글을 소중히 여긴다는 표시다.

2018년에 전국 문학인 대회가 제주에서 열린다. 2005년 이후에 다시 제주에서 열리는 전국 문학인 행사이다. 특히 4·3 70주년에 여는 행사라 더욱 의미가 있을 것으로 생각하는데 어디에 주안점을 두어야 할까.

지난번은 어떻게 하면 일반인 또는 전국의 작가들에게 4·3을 알릴까에 주안점을 두었다면 이번 같은 경우는 4·3의 연대에 대해 주안점을 두어야 하겠다. 4·3이 더 이상 이데올로기의 굴레에 묶여 있지 말았으면 하는 바람이다. 그래서 이것을 아시아권과 연계해서 일종의 제노사이드면 제노사이드, 생명 존중이면 생명 존중과 관련하여 아시아권 더 나아가 세계사의 지평 위에 4·3을 올려놓자는 것이다. 그래서 베트남의 바오닌, 오키나와의 메도루마 슌, 대만의 작가를 초청해서 자기 지역의 상처를 어떻게 문학으로 형상화하고 있는지를 공유하고, 동아시아의 문학적 연대를 통해서 4·3의 위상을 어떻게 새로운 지평 위에 올려놓을 수 있을까 생각하는 시간이었으면 한다.

또 단순하게 제주 4·3만 이야기하는 게 아니라. 해방 전후의 제주 4·3을 제대로 이해하려면 대구항쟁, 여순항쟁과 함께 맞물려서 보아야 한다. 그래야지만 4·3까지 올 수 있다. 4·3이라고 하는 것을 아시아 쪽에서 바라보고, 근현대사 쪽으로 바라보고 하는 것이다. 그런 틀로 70주년을 준비하면서 문학에서 우리가 4·3을 내다보는 시각이 좀 더 확장이 되었으면 좋겠다.

제주작가회의에서 앞으로 주목해야 할 일들 중에 제주문학관 건립을 빼놓을 수가 없다. 제주문학관의 성격과 장소 등에서 여러 의견들이 나오고 있다. 개인적으로 어떤 문학관이어야 한다고 생각하나.

내가 생각하는 제주문학관은 당연히 미래 지향적인 문학관이었으면 좋겠다. 앞으로 사람들에게 힘이 되는 문학관이었으면 좋겠다. 문학관이 기록을 보관하는 장소는 아니라고 생각한다. 제주의 문학을 소개하는 기능도 있겠지만 사람들이 친근해질 수 있는 공간으로 생각했으면 좋겠다. 우리가 고민하고 있는 문학관은 제주라고 하는 환경 속에서 제주의 미래 가치를 어디에 둘까, 이걸 문학이 어떻게 담아낼 수 있을까, 교육적으로 어떻게 활용할까, 이런 쪽에 좀 역점을 두었으면 좋겠다. 그래서 나는 레지던시 개념을 강조한다. 와서 제주도를 쓰라 이거다. 세계적인 작가들이 제주를 보고, 자연을 보고, 역사도 보고, 사람도 보고 그리고 제주를 쓰라는 것이다. 그게 누적 되면 넓은 의미의 제주문학이 되는 거지, 제주에 주민등록이 있는 사람만 하는 게 제주문학이 아니라고 생각한다.

제주작가회의와 인연이 20년이 되었다. 제주작가회의 활동이 자신의 문학 활동에 미친 영향은 무엇인가.

제주도에서 처음으로 마당굿을 하는 극단 '수눌음'을 1980년에 만들었고, 1982년에 등단했고, 1984년부터 교사 생활을 시작했다. 첫 시집은 한참 후인 1997년에 나왔다. 『실천문학』으로 등단할 당시 내가 등단 첫 번째라는 사실을 나중에야 알았다. 그런데 등단해놓고도 시 쓰는 게 별로 재미가 없었다. 마당굿이 재미있었다. 왜냐하면 시의 언어라고 하는 것은 활자화되어 독자에게 가는데, 그러면 내 언어에 대한 독자들의 반응을 제대로 알 수가 없다. 마당굿은 내가 대본 쓰고 마당 판에 올리게 되면 웃고, 울고, 분노하는 관중들의 표정이 바로 보인다. 그러니까 너무 좋았다. 또 1989년 8월 전교조 문제로 해직되어 1994년 2월 말까지 거리의 교사로 있다가 그해 3월에 복직을 했다. 학교에 적응하다 보니 자연스럽게 마당 판과 멀어질 수밖에 없었고, 그 무렵 내가 할 수 있는 일이란 술을 사가지고 가서 같이 먹어주는 일, 공연할 때 술값 내주는 일 등이었다. 그러다가, 맞아, 내가 시를 썼었지 하는 생각이 들었다. 이전에 발표한 시편들을 그러모으는 데 1년 넘게 걸렸다. 책에 발표한 건 거의 없고, 대부분 현장에서 데모용으로, 결혼 축시로, 또는 안타까운 죽음을 애도하는 조시 등으로 발표했기 때문이다. 그거 챙겨가지고 어찌어찌해서 낸 첫 시집이 『어디에 선들 어떠랴』이다. 그 시집에는 시편 말미에 연도를 기재했다. 왜냐하면 시집을 발간한 연도와 시가 발표된 연도가 너무 멀었기 때문이다. 그 이후에는 3년 정도 간격으로 시집을 내고 있는 셈이다.

나와 제주작가회의는 서로 영향을 주고받았다는 표현보다는 제주작가회의와 함께 나란히 걸어온 느낌이다. 1997년에 『어디에 선들 어떠랴』를 내고 그다음 해에 제주작가회의가 만들어졌으니까, 제주작가회의를 만들면서 사무국장으로 실질적인 일을 같이하기 시작했으니까 작가회의와 나를 구분해서 생각해본 적이 별로 없다는 생각이 든다.

돌이켜 보면 20년 동안 이사진에서 빠진 적이 없었던 것 같다. 아마 내년 새로운 임원이 생기게 되면(인터뷰는 신임 집행부가 결정되기 전 2017년 12월에 진행되었음) 제주작가회의를 만든지 20년 만에 처음으로 평회원이 되는 거다. 사람들 눈에는 내가 늘 집행부, 일을 만드는 사람, 회장단 카테고리 안에 있었지 않았나 싶다. 이제는 정말 단순 가담자가 되는 거다. 한 회원으로.

제주작가회의 활동하면서 많은 일이 있었을 텐데 개인적으로 가장 의미 있었던 사건을 꼽는다면 무엇인가?

창립 초기였는데 시인 김시종 선생님을 만난 것이다. 그게 아마 김시종 선생님이 일본으로 가신 이후 반세기 만에 처음 제주에 오셨을 때였을 것이다. 김시종 선생님하고 당시 회장이신 문충성 시인하고 몇 사람이 만나서 인사를 나누었다. 정말 가슴이 설레는 자리였고, 그때 선생님과의 인연이 제주 작가와의 인연으로 지금까지 이어오고 있다. 만약 내가 제주작가회의 회원이 아니라 개인이었으면 감히 김시종 선생님을 만날 수 있었을까 하는 생각이 들기도 한다. 나로서는 무척이나 영광스러운 자리였다.

끝으로 20주년을 맞는 제주작가회의에 하고 싶은 말을 해달라.

개인적으로 제주작가회의도 조직체니까 조직체 생활을 해온 경험담이라고 할 수도 있겠는데 사람이 모여서 조직을 만들고 시간이 흐르다 보면 조직이 사람을 끌고 가더라. 조직이라고 하는 덩어리가 사람을 데리고 가는 경우가 많다. 제주작가회의만큼은 제주작가회의라는 조직이 제주 작가를 끌고 가는 일은 없었으면 좋겠다. 제주 작가들이 끊임없이 제주작가회의와 함께 갔으면 좋겠다. 지나치게 조직을 강조하지 말고 조직보다는 '사람이 더 소중하다'라는 점을 늘 잊지 말았으면 좋겠다. 조직보다는 구성원 하나하나가 몇 배 더 소중한 것이다.

특별하게 신경 쓸 일은 없는데 굳이 말하자면, 이젠 제주작가회의 회원이 90명이 넘는다. 숫자가 많아지다 보면 물이 얕아진다. 깊이를 유지하면서 수도 많아지면 참 바람직한데 물의 총량이 제한적이다 보니, 넓어지면 얕아질 수밖에 없음을 늘 경계하면서 각자 최선을 다해 자기 작품을 쓰는 자세가 자기 자신도 살리고 제주작가회의도 살리는 길이 아닐까 한다.